de B

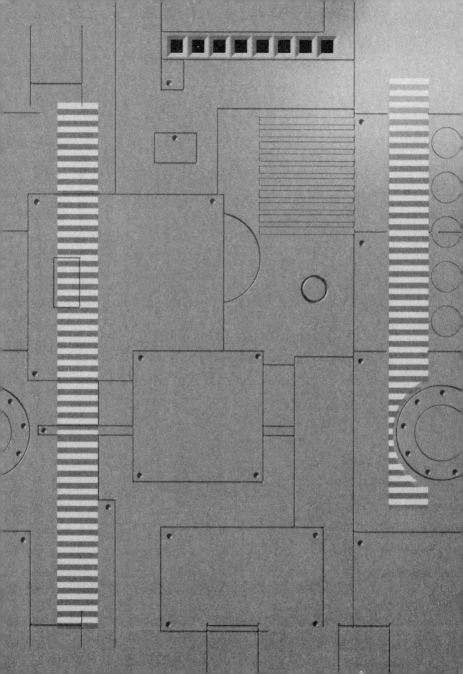

Oorspronkelijke titel: The Artemis Fowl Files
Oorspronkelijke uitgave: Miramax
© Eoin Colfer
© Vertaling uit het Engels: Daniëlle Alders 2005
© Nederlandse uitgave: Vassallucci, Amsterdam 2005
Omslagontwerp: René Abbühl, Amsterdam
Illustratie omslag: DPS DESIGN & PREPRESS SERVICES - naar het Amerikaanse
voorbeeld van Ellice Lee
ISBN 90 5000 671 X
NUR 420
www.vassallucci.nl
www.artemisfowl.com

Vassallucci is een onderdeel van de samenwerkende uitgeverijen
Prometheus/Bert Bakker/Vassallucci

Voor Finn, de beste vriend van Artemis

INHOUD

ElfB1

1: Daar komt de spin 11
2: Rotte vis 21
3: Het eiland van de in duigen gevallen dromen 35
4: Gewapende broers 51
5: Carrière of kameraden 67

Elfencode 82

Gnomisch alfabet 85

Het volk: een gids voor spotters 86

Interviews

Artemis Fowl II 92
Kapitein Holly Short 94
Butler 96
Turf Graafmans 98
Foaly 100
Julius Root 102
Eoin Colfer 104

Rapport van Artemis Fowl 106

Elfenquiz 108

Haven aan Aarde:
Transportlokaties van de elfen 110

Foaly's uitvindingen 112

Kruiswoordraadsel 116

Elfenwoordzoeker 117

De zevende dwerg 119

1: Lady Fei Fei's tiara 121
2: Hoge prioriteit 129
3: De zevende dwerg 135
4: Showtime 147
5: Meester van het spel 163
EPILOOG 189

Kapitein Holly Short is bij iedereen onder de grond bekend als een van de belangrijkste leden van de elfBI. Maar de baan van de moedige jonge elf is niet altijd zo opwindend geweest. Net zoals alle andere elfBI-officieren is ze haar carrière begonnen bij de Verkeersdienst.

Dit is het verhaal over haar inwijding als elfBI-kapitein en hoe ze de eerste vrouwelijke officier werd die onder commandant Julius Root diende.

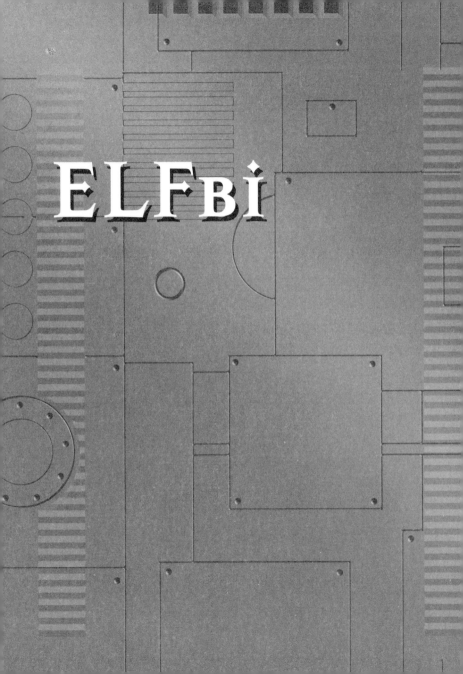

Hoofdstuk I: **DAAR KOMT DE SPIN**

De haven van Sydney, Australië

'Weet u wat het is met pijn, majoor Evergreen?' vroeg de oude elf, terwijl hij een klein houten doosje op tafel legde. 'Het doet zeer.'

Evergreen was nog te versuft voor grapjes. Wat die vreemdeling ook in het pijltje had gedaan, het was nog niet uit zijn lichaam verdwenen. 'Wat ben jij…? Waarom ben ik…?' Er kwamen nog geen hele zinnen. Hij kon er geen een uit zijn benevelde brein vissen.

'Stil, majoor,' adviseerde zijn overmeesteraar. 'Vecht niet tegen het serum. Je maakt jezelf alleen maar ziek.'

'Serum?' schrok de majoor.

'Een door mij persoonlijk gemaakt brouwsel. Omdat ik mijn toverkracht niet meer heb, moest ik op de gaven van de natuur vertrouwen. Dit speciale serum is samengesteld uit gelijke delen gemalen pingpingbloem en cobragif. In een kleine dosis niet dodelijk, maar het is wel een effectief verdovingsmiddel.'

Angst sneed dwars door de bedwelming van de elfBI-officier, als een hete pook door de sneeuw. 'Wie ben je?'

Een kinderlijke frons rimpelde het oude gezicht van de vreemdeling.

'Je mag me aanspreken als kapitein. Ken je me niet, majoor? Van eerder dan vandaag? Denk maar eens aan je eerste jaren bij de elfBI. Dat is eeuwen geleden, dat weet ik wel, maar probeer het eens. Het elfenvolk denkt vaak dat het me volledig kan vergeten. Maar ik ben nooit ver weg, niet echt.'

De majoor wilde zeggen: 'Ja, ik ken je,' maar iets zei hem dat liegen nog gevaarlijker was dan de waarheid vertellen. En de waarheid was dat hij zich niet kon herinneren dat hij deze elf ooit in zijn leven had gezien. Niet tot vandaag, toen hij hem in de haven had aangevallen. Evergreen had het signaal van een weggelopen gnoom tot deze hut getraceerd en voordat hij het wist, had deze oude elf hem met een injectiepistool geprikt en moest hij hem kapitein noemen. En nu was Evergreen aan een stoel vastgebonden en werd hem een lesje over pijn gegeven.

De oude elf klikte twee koperen sloten op het doosje

open en tilde eerbiedig het deksel op. Majoor Evergreen ving een glimp van een fluwelen bekleding op. Zo rood als bloed.

'Welnu, jongen, ik heb informatie nodig. Informatie die alleen een elfBI-majoor heeft.' De kapitein pakte een leren zakje uit de doos. In het zakje zat nog een of ander doosje dat met de zijkanten tegen het leer duwde.

Evergreen's ademhaling kwam met korte stoten. 'Ik vertel je niets.'

De oude elf maakte met een hand de leren riem rond het zakje los. Het doosje straalde licht uit vanuit de binnenkant van het zakje en wierp een ongezonde schaduw op de bleke gelaatskleur van de oude elf. De rimpels rond zijn ogen verdwenen in de schaduw. De ogen zelf stonden koortsig.

'Nu, majoor. Het moment van de waarheid. Tijd voor een paar vragen.'

'Doe jezelf een plezier en doe dat zakje dicht, kapitein,' zei majoor Evergreen, met meer bravoure dan hij voelde. 'Ik ben van de elfBI, als je me iets aandoet kun je niet ontsnappen.'

De kapitein zuchtte. 'Ik kan het zakje niet dichtdoen. Wat er al jaren inzit wil er dolgraag uit, zodat hij in vrijheid zijn werk kan doen. En denk maar niet dat iemand je nog komt redden. Ik heb je helm even geleend en een storingsbericht gestuurd. In Politie Plaza denken ze dat de verbinding kapot is. De komende uren zullen ze zich nog geen zorgen maken.'

De oude elf pakte een stalen voorwerp uit het leren zakje. Het was een kooitje met een kleine zilveren spin erin, die zulke scherpe klauwen had dat de uiteinden in het niets leken te verdwijnen. Hij hield het kooitje voor Evergreen's neus omhoog. Binnenin sloeg de spin wild van de honger met zijn klauwen, op maar een paar centimeter van de neus van de majoor.

'Scherp genoeg om lucht te snijden,' zei de kapitein. En inderdaad, de klauwen leken wel scheurtjes in de lucht te maken.

Het laten zien van de spin leek de oude elf te veranderen. Hij had nu de macht en leek groter. Er fonkelden twee rode puntjes in zijn ogen, hoewel er geen lichtbron in de hut was. Onder zijn jas kwam een geplooide kraag van een ouderwets elfBI-gala-uniform vandaan.

'Nu, jonge elf, ik vraag het maar een keer. Geef direct antwoord, anders zul je mijn woede voelen.'

Majoor Evergreen bibberde van angst en kou, maar hij hield zijn mond stevig dicht.

De kapitein streelde de kin van de majoor met zijn

kooi. 'Welnu, hier is de vraag: waar is de volgende elfBI-inwijdingsplek van commandant Root?'

De majoor knipperde het zweet uit zijn ogen. 'Inwijdingsplek? Eerlijk waar, kapitein, ik weet het echt niet. Ik ben nieuw in het team.'

De kapitein hield de kooi nog dichter bij Evergreen's gezicht. De zilveren spin sprong naar voren en klauwde in de wang van de majoor.

'Julius' plek!' brulde de kapitein. 'Vertel het me!'

'Nee,' zei de majoor tussen zijn op elkaar geklemde tanden door. 'Je kunt me niet breken.'

De stem van de kapitein werd schril van kwaadheid. 'Zie je hoe ik leef? In de mensenwereld word ik oud.'

De arme majoor Evergreen bereidde zich voor op de dood. Deze hele opdracht was een val geweest.

'Julius heeft me Haven ontnomen,' raasde de kapitein. 'Hij heeft me uitgezet als een ordinaire verrader. Hij heeft me verbannen naar deze afgrijselijke mensenwe- reld. Wanneer hij de volgende korporaal voor zijn inwij- ding brengt, wacht ik hem samen met een paar oude vrienden op. Als we Haven niet kunnen krijgen, dan nemen we maar wraak.'

De kapitein stopte zijn getier. Hij had al te veel gezegd en zo veel tijd had hij niet. Hij moest dit afmaken.

'Je kwam hier om een vermiste gnoom te zoeken, maar die bestond helemaal niet. We hebben de satellietbeelden gemanipuleerd om een elfBI-officier in de val te lokken. Ik heb twee jaar gewacht voordat Julius eindelijk een majoor stuurde.'

De reden was duidelijk. Alleen een majoor zou de locaties voor elfBI-inwijdingen kennen.

'En nu ik je in mijn handen heb, zul je me vertellen wat ik moet weten.'

De oudere elf kneep majoor Evergreen's neus dicht tot hij wel door zijn mond moest gaan ademen. Bliksemsnel duwde de kapitein het kooitje tussen Evergreen's tanden en deed het deurtje open. De zilveren spin verdween als een glanzende flits in de keel van de jonge elf.

De kapitein gooide het kooitje weg. 'Welnu, majoor,' zei hij. 'Je bent dood.'

Evergreen kromp ineen terwijl de klauwen van de zilveren spin zich in zijn maagwand zetten.

'Dat voelt heel naar, interne verwondingen doen altijd het meeste pijn,' merkte de oude elf op. 'Je toverkracht zal je nog een tijdje helen. Maar over een paar minuten is je kracht op en dan zal mijn kleine huisdier zich een weg naar buiten klauwen.'

Evergreen wist dat dit waar was. De spin was een

Tunnelblauw. Dit wezen gebruikte zijn klauwen als tanden en vermaalde het vlees voordat hij het tussen zijn tandvlees door naar binnen slurpte. Zijn favoriete manier van vernietigen was van binnenuit. Een nest van deze kleine monsters kon een trol aan. Een Tunnelblauw was meer dan genoeg om een elf te doden.

'Ik kan je helpen,' zei de kapitein. 'Als je mij ook helpt.'

Evergreen hapte naar adem van de pijn. Wanneer de spin zijn klauwen in hem zette, dichtte hij de wond met toverkracht, maar het helen ging al langzamer.

'Nee. Ik vertel je niets.'

'Dat is goed. Jij gaat dood en ik vraag het aan de volgende officier die ze sturen. Natuurlijk kan die ook weigeren samen te werken. Maar goed, ik heb genoeg spinnen.'

Evergreen probeerde na te denken. Hij moest hier levend vandaan komen om de commandant te waarschuwen. En er was maar een manier waarop dat kon.

'Oké. Maak die spin dood.'

De kapitein greep Evergreen's kin vast. 'Eerst een antwoord. Waar is de volgende inwijding? En niet liegen, daar kom ik toch wel achter.'

'De Tern-eilanden,' kreunde de majoor.

Het gezicht van de oude elf glom van krankzinnige triomf. 'Die ken ik. Wanneer?'

Evergreen mompelde heel beschaamd: 'Over precies een week.'

De kapitein sloeg de gevangene op zijn schouder. 'Goed gedaan. Je hebt een verstandige keuze gemaakt. Je hoopt zeker dat je deze kwelling overleeft en mijn broer kan gaan waarschuwen.'

Ondanks de pijn schrok Evergreen op. Broer? Was dit commandant Root's broer? Hij had het verhaal gehoord, net zoals iedereen.

De kapitein glimlachte. 'Nu ken je mijn geheim. Ik ben de in ongenade gevallen kapitein Turnball Root. Julius heeft zijn eigen broer vervolgd. Nu zal ik hém vervolgen.'

Evergreen kromp ineen toen er allemaal sneetjes in zijn maag werden gemaakt. 'Dood dat insect,' smeekte hij.

Turnball Root haalde een flesje uit zijn zak. 'Oké dan. Maar denk maar niet dat je iemand kunt waarschuwen. In het pijltje waarmee ik je heb geprikt zat een middeltje dat voor geheugenverlies zorgt. Over vijf minuten is dit allemaal een droom waar je geen grip meer op krijgt.'

Kapitein Root opende het flesje en Evergreen snoof opgelucht het prikkelende aroma van sterke koffie op.

De Tunnelblauw was een hyperactief, fijn afgesteld wezen met een heel gevoelig hart. Wanneer de koffie in zijn bloedstroom kwam, zou die een dodelijke hartaanval veroorzaken.

Turnball Root goot het hete brouwsel in Evergreen's keel. De majoor kokhalsde, maar slikte het toen door. Na een paar seconden begon de spin in zijn buik tekeer te gaan, waarna de destructieve activiteit ophield.

Evergreen zuchtte van opluchting en sloot toen zijn ogen om zich te kunnen concentreren op wat er was gebeurd.

'Heel goed,' kakelde kapitein Root. 'Je probeert de herinneringen te versterken zodat ze onder hypnose weer naar boven komen. Ik zou die moeite niet nemen. Wat ik je heb gegeven is niet echt volgens de regels. Als je mazzel hebt, weet je straks nog welke kleur de lucht heeft.'

Evergreen liet zijn hoofd hangen. Hij had zijn commandant verraden, voor niets. Over een week zou Julius Root op de Tern-eilanden in een val lopen. Een lokatie die híj had onthuld.

Turnball knoopte zijn jas dicht en verborg zo het uniform eronder. 'Vaarwel majoor. En bedankt voor je hulp. Misschien zul je het de komende tijd lastig vinden om je te concentreren, maar zodra je vastberadenheid weer is teruggekomen, zijn die boeien al opgelost.'

Kapitein Root opende de deur van de hut en liep naar buiten, de avondlucht in. Evergreen keek hem na en een ogenblik later had hij al niet meer kunnen zweren dat de kapitein er überhaupt was geweest.

HOOFDSTUK 2: ROTTE VIS

De Boulevard der Koningen, Haven,
De Lagere Elementen, Een week later...

 Korporaal Holly Short had verkeersdienst op de Boulevard der Koningen. ElfBI-functionarissen moesten eigenlijk met zijn tweeën zijn, maar aan de overkant van de rivier werd een grote kraakbalwedstrijd gespeeld, dus haar partner was bij het Westelijk Stadion aan het patrouilleren.

Holly liep langs de boulevard, schitterend in haar gecomputeriseerde verkeersuniform. Het uniform was min of meer een wandelend verkeersbord. Op de plaat over haar borst konden alle reguliere bevelen en ongeveer acht regels tekst worden getoond. Het uniform was ook stemgestuurd, dus als Holly iemand het bevel gaf te stoppen, zou dit in gele lampjes op haar borst komen te staan.

Het was niet echt Holly's bedoeling geweest om een

wandelend verkeersbord te zijn toen ze zich had opge-
geven bij de elfBI-academie, maar iedere korporaal
moest zijn portie verkeersdienst doen voordat hij zich
mocht gaan specialiseren. Holly had nu al zes maanden
straatdienst en soms leek het alsof ze nooit een kans zou
krijgen bij de Opsporingsdienst. Als de hoge officieren
haar een kans zouden geven en ze de inwijding zou
doorstaan, zou ze de eerste vrouw zijn die het tot
Opsporing schopte. Dit schrok Holly Short niet af,
door haar koppige aard werd ze hier zelfs door aange-
trokken. Ze zou niet alleen de inwijding doorstaan, ook
was ze van plan de score die kapitein Trubbels Kelp had
neergezet, te verpletteren.

Het was rustig op de boulevard vanmiddag. Iedereen
zat in het stadion groentepatat en champignonburgers
te eten. Iedereen behalve zij, tientallen ordehandhavers
en de eigenaar van een campershuttle die fout geparkeerd stond op de laadzone van een restaurant.

Holly scande de barcode van de paarse camper door
de sensor in haar handschoen langs de bumperplaat te
halen. Een paar seconden later stuurde de centrale
elfBI-server de gegevens van het voertuig naar haar
helm. De camper was van ene E. Phyber, een elf met
een hele waslijst aan verkeersovertredingen.

Holly trok het klittenband op haar pols los, dat een computerscherm bedekte. Ze opende het programma voor parkeerboetes en verstuurde er een op Phyber's naam. Het feit dat ze het leuk vond om iemand een boete te geven, maakte Holly duidelijk dat het tijd werd om de Verkeersdienst te verlaten.

Er bewoog iets in de camper. Iets groots. Het hele gevaarte stond te schudden op zijn assen.

Holly klopte op de verduisterde ruiten. 'Kom uit dat voertuig, meneer Phyber.'

Er kwam geen antwoord uit de camper, hij begon alleen maar meer te schudden. Er zat iets binnen. Iets wat veel groter was dan een vleugelelf.

'Meneer Phyber. Doe open, of ik ga de camper doorzoeken.'

Holly probeerde door de getinte ramen te kijken, maar dat lukte niet, haar straathelm had niet de goede filters om er doorheen te kijken. Het leek alsof er een soort beest binnen zat. Dat was een ernstige misdaad. Het vervoeren van dieren in een privé-voertuig was streng verboden. En niet te vergeten wreed. Elfen mochten dan bepaalde dieren eten, maar ze hielden ze absoluut niet als huisdier. Als deze persoon dieren smokkelde, was het heel goed mogelijk dat hij ze rechtstreeks boven de grond kocht.

Holly zette beide handen tegen het zijpaneel en duwde zo hard als ze kon. De camper begon onmiddellijk te bokken en te trillen, en kantelde bijna.

Holly deed een stap terug. Dit zou ze moeten melden.

'Eh… is er een probleem, officier?'

Er fladderde een vleugelelf naast haar. Vleugelelfen fladderen wanneer ze zenuwachtig zijn.

'Is dit voertuig van u, meneer?'

De vleugels van de vleugelelf fladderden nog sneller, waardoor hij nog vijftien centimeter hoger boven het trottoir kwam te hangen.

'Ja, officier. Eloe Phyber. Ik ben de rechtmatige eigenaar.'

Holly deed haar vizier omhoog. 'Wilt u even landen, meneer? Het is verboden om op de boulevard te vliegen. Er staan overal borden.'

Phyber landde zachtjes. 'Natuurlijk, officier. Sorry.'

Holly onderzocht Phyber's gezicht op tekenen van schuld. De bleekgroene huid van de vleugelelf glom van het zweet.

'Maakt u zich ergens zorgen over, meneer Phyber?'

Phyber glimlachte zwakjes. 'Nee hoor. Zorgen? Nee

hoor, helemaal niet. Ik ben alleen een beetje laat, dat is alles. Het moderne leven, altijd wat te doen.'

De camper schudde op zijn assen.

'Wat hebt u daarbinnen?' vroeg Holly.

Phyber's glimlach bevroor. 'Niets. Alleen een aantal bouwpakketten. Er zal er wel een zijn omgevallen.'

Hij loog. Holly wist het zeker. 'Meent u dat nou? Dan moet u er nogal wat hebben, want dit is al de vijfde die omvalt. Maakt u maar open.'

De vleugels van de vleugelelf werden opgepompt. 'Volgens mij hoef ik dat niet te doen. Hebt u geen huiszoekingsbevel nodig?'

'Nee. Ik moet een redelijk vermoeden hebben. En ik heb redenen om aan te nemen dat u illegaal dieren vervoert.'

'Dieren? Dat is belachelijk. Maar goed, ik kan de camper niet eens openmaken, want ik denk dat ik de chip ben kwijtgeraakt.'

Holly haakte een omnistuk van haar riem en zette de sensor tegen de achterdeur van de camper. 'Oké. Ik maak de deur van dit voertuig open om het op de mogelijke aanwezigheid van dieren te onderzoeken.'

'Moeten we niet op een advocaat wachten?'

'Nee. Tegen die tijd zijn de dieren gestorven van ouderdom.'

Phyber ging een meter naar achteren. 'Ik zou het niet doen.'

'Nee. Dat kan ik me voorstellen.'

Het omnistuk piepte en de deur zwaaide open. Holly zag een enorme, trillende kubus van oranje gelei. Het was hydrogel, gebruikt om gewonde zeedieren veilig te vervoeren. Zo konden ze nog wel ademen, maar hadden ze geen last van verkeersdrempels. Een school makreel probeerde de bekleding van de camper in te zwemmen. Ze waren ongetwijfeld bestemd voor een illegaal restaurant.

De gel zou misschien zijn vorm hebben behouden als de school niet had besloten naar het licht te zwemmen. Door die beweging werd de gelkubus de camper uitgesleept. De zwaartekracht kreeg er vat op en de grote klodder spatte precies boven Holly uiteen. Ze werd ondergedompeld in een vloedgolf van vis en gel met visgeur. De gel sijpelde door gaten in haar uniform waarvan ze niet eens wist dat ze er zaten.

'D'Arvit!' vloekte Holly, terwijl ze op haar achterste viel. Helaas was dit precies het moment dat haar uniform kortsluiting maakte, en er kwam een telefoontje van Politie Plaza dat commandant Julius Root haar onmiddellijk wilde spreken.

Politie Plaza, de Lagere Elementen

Holly leverde Phyber af bij de afdeling die zijn arrestatie moest afhandelen en haastte zich daarna over de binnenplaats naar het kantoor van Julius Root. Als de elfBI-commandant haar wilde spreken, was ze niet van plan hem te laten wachten. Dit zou wel eens haar inwijding kunnen zijn. Eindelijk.

Er was al wat volk in het kantoor. Holly zag door het gematteerde glas hoofden heen en weer gaan.

'Korporaal Short voor commandant Root,' zei ze buiten adem tegen de secretaresse.

De secretaresse, een middelbare elf met een felroze permanent, keek even op, maar legde toen haar werk neer om Holly haar onverdeelde aandacht te geven. 'Wil je zo naar binnen gaan?'

Holly veegde een paar klodders hydrogel van haar pak. 'Ja. Het is maar gel. Ik was aan het werk. De commandant begrijpt het wel.'

'Weet je dat zeker?'

'Absoluut. Ik mag deze vergadering niet missen.'

De glimlach van de secretaresse kreeg iets vals. 'Nou, goed dan. Ga maar naar binnen.'

Iedere andere dag had Holly geweten dat er iets mis was,

maar net vandaag besteedde ze er geen aandacht aan. En zo ging ze rechtstreeks Julius Root's kantoor binnen.

Er zaten twee mensen in het kantoor voor haar. Julius Root zelf, een elf met een brede borstkas, stekeltjeshaar en een zwamsigaar in zijn mondhoek. Ook herkende Holly kapitein Trubbels Kelp, een van de grootste sterren van Opsporing. Een legende in politiebars, met meer dan tien succesvolle opsporingsgevallen in minder dan een jaar op zijn naam.

Root verstijfde en staarde Holly aan. 'Ja? Wat is er? Is er ergens een leiding gesprongen of zo?'

'N-nee,' stamelde Holly.   'Korporaal Holly Short meldt zich zoals verzocht, meneer.'

Root stond op, met rode vlekken op zijn wangen. De commandant was niet blij.

'Short. Ben je een meisje?'

'Ja meneer. Ik beken.'

Root stelde de humor niet op prijs. 'Dit is geen afspraakje, Short. Houd je grappige opmerkingen maar voor jezelf.'

'Ja meneer. Geen grappen.'

'Oké. Ik nam aan dat je een man was vanwege je test-scores bij het vliegen. Er is nog nooit een vrouw geweest met zo'n hoge score.'

'Dat dacht ik ook, meneer.'

De commandant zat op de rand van zijn bureau. 'Je bent de achttiende vrouw die het tot de inwijding heeft geschopt. Tot nu toe heeft geen een die gehaald. Het bureau gelijke rechten houdt maar niet op over sexisme, dus ik ga jouw inwijding persoonlijk afhandelen.'

Holly slikte. 'Persoonlijk?'

Root glimlachte. 'Dat klopt, korporaal. Alleen jij en ik, op avontuur. Wat vind je daarvan?'

'Fantastisch, meneer. Het is me een eer.'

'Goed zo. Zo mag ik het horen.' Root snoof even. 'Wat ruik ik toch?'

'Ik had verkeersdienst, meneer. Er waren wat problemen met een vissmokkelaar.'

Root snoof weer. 'Ik dacht al dat ik vis rook. Je uniform lijkt wel oranje.'

Holly plukte aan een klodder gel op haar arm. 'Hydrogel, meneer. De smokkelaar gebruikte gel om de vis in te vervoeren.'

Root stond op van zijn bureau. 'Weet je eigenlijk wel wat Opsporingsfunctionarissen doen, Short?'

'Ja meneer. Een Opsporingsofficier spoort weggelopen elfen bovengronds op, meneer.'

'Bovengronds, Short. Waar de mensen wonen. We

moeten niet opvallen, ons er tussen mengen. Denk je dat je dat kunt?'

'Ja, commandant. Ik denk van wel.'

Root spuugde zijn sigaar in een recycler. 'Ik wilde dat ik dat kon geloven. En misschien zou het me nog wel lukken ook, maar dát zit me dwars.' Root wees met een gestrekte vinger naar Holly's borst.

Holly keek naar beneden. De commandant was toch niet van slag door een paar klodders gel en een visgeur?

Nee, niet daardoor.

Op de tekstbalk op haar borst stond in hoofdletters een woord. Het was het woord dat ze had geschreeuwd op het moment dat de hydrogel het tekstdisplay had bevroren: 'D'Arvit,' vloekte Holly binnensmonds, toevallig precies hetzelfde woord als op haar borst stond.

E1

Het trio ging direct naar E1, een drukschacht die in Tara, Ierland uitkwam. De korporaals kregen geen tijd om zich voor te bereiden, want als ze het tot Opsporing zouden brengen, zouden ze die ook niet hebben. Schurkachtige elfen ontsnapten niet naar het aardoppervlak op een van tevoren met de politie afgesproken tijdstip. Ze vertrokken op het moment dat ze dat wilden, en dan moest een Opsporingsofficier klaar staan om hen te achtervolgen.

Ze namen een elfBI-shuttle door de schacht naar het aardoppervlak. Holly had geen wapens en haar helm was in beslag genomen. Ook was ze van haar toverkracht ontdaan door een speldenprik in haar duim. Het kopje van de speld bleef erin zitten totdat iedere druppel toverkracht was gebruikt om de wond te helen.

Kapitein Trubbels Kelp legde haar uit waarom, terwijl hij zijn eigen toverkracht gebruikte om het wondje van de korporaal te dichten. 'Soms heb je boven de grond niets tot je beschikking: geen wapen, geen communicatiemiddelen, geen toverkracht. En dan moet je een wegloper zien te achterhalen, die waarschijnlijk probeert jou op te sporen. Als het je niet lukt dan kom je niet bij Opsporing.'

Dat had Holly al verwacht. Ze hadden allemaal de inwijdingsverhalen van andere veteranen gehoord. Ze vroeg zich af in wat voor afschuwelijk oord ze zouden worden gedropt en waar ze op moesten gaan jagen.

Door de patrijspoorten van de shuttle zag ze de schacht voorbijflitsen. De schachten waren lange ondergrondse ventilatiegaten voor magma, die van de kern van de aarde tot aan het aardoppervlak liepen. De elfen hadden verschillende tunnels over de hele wereld blootgelegd en aan beide uiteinden shuttlehavens gemaakt. Toen de menselijke technologie steeds verder werd ontwikkeld, werden veel van deze stations vernietigd of verlaten. Als het Moddervolk ooit een shuttlehaven zou vinden, zou het een rechtstreekse verbinding met Haven hebben.

Bij een noodgeval lieten de Opsporingsfunctionarissen zich in titanium eieren meevoeren op de magmastoten die deze tunnels schroeiden. Dat was de snelste manier om de 8000 kilometer naar het aardoppervlak af te leggen. Vandaag reisden ze als groep in een elfBI-shuttle, met de relatief lage snelheid van 1200 kilometer per uur. Root zette de automatische besturing aan en kwam terug om Holly in te lichten.

'We gaan naar de Tern-eilanden,' zei commandant Root, terwijl hij een holografische kaart boven de conferentietafel activeerde. 'Een kleine eilandengroep aan de oostkust van Ierland. Om precies te zijn gaan we naar Tern Mór, het grootste eiland. Er is maar een inwoner: Kieran Ross, een natuurbeschermer. Ross gaat een keer per maand naar Dublin om verslag uit te brengen aan het ministerie van Milieu. Meestal logeert hij in het Morrisonhotel en gaat hij naar een voorstelling in het

Abbeytheater. Onze technische mensen hebben bevestigd dat hij in het hotel is ingecheckt, dus we hebben 36 uur.'

Holly knikte. Het laatste waar ze op zaten te wachten was dat mensen zich met hun oefening gingen bemoeien. Realistische oefeningen waren één, maar niet ten koste van de hele elfennatie.

Root stapte het hologram binnen en wees naar een punt op de kaart. 'Hier landen we, bij de Zeehondenbaai. De shuttle zet jou en kapitein Kelp af op het strand. Ik word op een andere plek afgezet. Dan is het heel eenvoudig: jij zoekt mij en ik zoek jou. Kapitein Kelp houdt je vorderingen bij voor de beoordeling. Als de oefening is afgelopen, ga ik je schijf evalueren en bekijken of je uit het goede hout bent gesneden voor Opsporing. Beginnelingen worden over het algemeen wel vijf keer geraakt tijdens de oefening, dus maak je daar maar geen zorgen over. Het belangrijkste is hoe moeilijk je het voor mij maakt.'

Root pakte een paintballpistool van een rek aan de wand en gooide het naar Holly. 'Er is natuurlijk een manier om niet te worden beoordeeld en meteen tot de opleiding te worden toegelaten. Als je mij raakt voordat ik jou raak, ben je toegelaten. Zonder verdere vragen.

Maar juich niet te vroeg. Ik heb eeuwenlange ervaring boven de grond, ik zit vol toverkracht en ik heb een shuttle vol wapens tot mijn beschikking.'

Holly was blij dat ze zat. Ze had honderden uren in simulators doorgebracht, maar ze was pas twee keer aan de oppervlakte geweest, een keer tijdens een schoolreisje naar het Zuid-Amerikaanse regenwoud en nog een keer tijdens een vakantie naar Stonehenge. Haar derde bezoek zou iets opwindender worden.

HOOFDSTUK 3: HET EILAND VAN DE IN DUIGEN GEVALLEN DROMEN

Tern Mór

 De zon brandde de ochtendmist weg en als een spookeiland kwam Tern Mór langzaam voor de Ierse kust te voorschijn. Het ene moment waren er alleen mistbanken en het volgende priemden de steile rotsen van Tern Mór door de nevel.

Holly bestudeerde het door de patrijspoort. 'Gezellige plek,' merkte ze op.

Root kauwde op zijn sigaar. 'Het spijt me, korporaal. We vragen die weglopers iedere keer om zich op een warme plek te verstoppen, maar ze zorgen altijd dat het hun zelf goed uitkomt.'

De commandant ging terug naar de cockpit, want het was tijd om handmatig te gaan landen.

Het leek alsof het eiland in een horrorfilm figureerde.

Er rezen donkere kliffen op uit de oceaan, er beukten schuimkoppen op de waterlijn. Een smalle strook groen klampte zich wanhopig vast en flapperde slordig over de rand als een onhandelbare toef haar.

Hier zal niets goeds gebeuren, dacht Holly.

Trubbels Kelp sloeg haar op haar schouder en doorbrak haar gepeins. 'Kop op, Short. Je bent al tot hier gekomen. Een paar dagen aan de oppervlakte is al heel veel waard. Deze plek heeft lekkere lucht. Hemels zacht.'

Holly probeerde te glimlachen, maar ze was te zenuwachtig. 'Doet de commandant de inwijdingen normaal gesproken zelf?'

'Altijd. Hoewel dit de eerste keer is dat het één tegen één is. Normaal gesproken zijn het er zo'n vijf, zodat het voor hem ook nog een beetje leuk is. Maar je hebt hem helemaal voor jezelf, omdat je een vrouw bent. Wanneer je het niet haalt, wil Julius niet dat het bureau voor gelijke rechten een reden heeft om te klagen.'

Holly vloog op. 'Wanneer ik het niet haal?'

Trubbels knipoogde naar haar. 'Zei ik wanneer? Ik bedoelde als. Als, natuurlijk.'

Holly voelde de uiteinden van haar puntige oren trillen. Was deze hele reis een schertsvertoning? Had de commandant haar rapport al opgesteld?

Ze landden op het Zeehondenstrand, waar opmerkelijk weinig zeehonden en zand waren. De shuttle had een tweede huid, met plasmaschermen die de omgeving op de beplating aan de buitenkant van het voertuig projecteerden. Wanneer Trubbels Kelp de deur opendeed leek het voor een oppervlakkige toeschouwer dat het een deur in de lucht was.

Holly en Trubbels sprongen op de kiezelsteentjes en haastten zich naar voren om het zog van de jet te ontlopen.

Root opende een patrijspoort. 'Je hebt twintig minuten om te huilen, te bidden, of wat jullie vrouwen dan ook doen, en dan kom ik eraan.'

Holly's ogen spuwden vuur. 'Ja meneer. Ik ga zo huilen. Zodra u achter de horizon bent verdwenen.'

Root glimlachte en fronste tegelijkertijd. 'Ik hoop dat je even gis bent als je je voordoet.'

Holly had geen idee wat gis was, maar ze besloot dat dit niet de tijd was om dat te zeggen.

Root gaf een dot gas en voerde laagvliegend een looping uit boven de heuvels. Er was alleen een vage, doorzichtige glinstering van het voertuig te zien.

Holly voelde dat ze het plotseling koud had. De lucht in Haven had overal dezelfde temperatuur, dus haar reiskostuum had geen warmtespiralen. Ze zag dat kapitein Kelp op zijn computer de thermostaat instelde.

'Hé,' zei Trubbels. 'We hoeven het niet allebei koud te hebben. Ik heb mijn inwijding al doorstaan.'

'Hoe vaak was jij geraakt?' vroeg Holly.

Trubbels grimaste treurig. 'Acht keer. En ik was de beste van de groep. Commandant Root beweegt zich nog snel voor zo'n oude knar, en hij heeft natuurlijk voor een half miljoen goudstaven aan hardware.'

Holly zette haar kraag op tegen de Atlantische wind. 'Heb je nog wat handige tips?'

'Ik ben bang van niet. En zodra de camera draait kan ik ook niet meer met je praten.' Kapitein Kelp drukte op een knopje op zijn helm en er begon een rood lichtje in de richting van Holly te knipperen. 'Het enige wat ik kan zeggen is dat als ik jou was, ik maar zou gaan. Julius verspilt geen tijd, dus dat zou ik ook maar niet doen.'

Holly keek om zich heen. *Maak gebruik van de omgeving*, stond in de handboeken. *Gebruik wat de natuur biedt*. Die stelregel had hier niet zo veel zin. Rond het kiezelstrand stonden aan twee kanten bijna loodrechte bergwanden en van de derde zijde liep een modderstroom steil naar beneden. Het was de enige uitgang en ze moest er maar snel heen voordat de commandant tijd had gehad om de top te bereiken. Ze ging in looppas naar de helling, vastbesloten deze oefening te halen zonder dat haar zelfrespect eronder zou lijden.

Vanuit haar ooghoek zag Holly iets glinsteren. Ze bleef staan.

'Dat is niet echt eerlijk,' zei ze en ze wees naar de plek.

Trubbels keek over het kiezelstrand. 'Wat?' vroeg hij, hoewel hij eigenlijk niet mocht praten.

'Kijk daar. Camouflagefolie. Er verbergt zich iets op het strand. Hebben jullie extra manschappen voor het geval de korporaal iets te snel blijkt te zijn voor de oude knarren?'

Ineens drong de ernst van de situatie tot Trubbels door. 'D'Arvit,' gromde hij en hij probeerde zijn wapen te pakken.

Kapitein Kelp was snel. Hij kreeg het wapen uit zijn holster voordat het wapen van een sluipschutter vanonder de camouflagefolie pulseerde en hem hoog in de schouder raakte, waardoor hij op de natte stenen rondtolde.

Holly stoof weg en zigzagde tussen de rotsen door. Als ze bleef bewegen, kon hij niet op haar richten. Haar vingers klauwden in de modderige helling toen er een tweede sluipschutter opsprong en zijn camouflagefolie afschudde.

De nieuwkomer, een korte, dikke dwerg, hield het grootste geweer vast dat Holly ooit had gezien. 'Verrassing,' zei hij grinnikend, met gele, afgebrokkelde tanden.

Hij vuurde en de laserstoot raakte Holly als een voorhamer in haar maag. Dat is het met Neutrinowapens: ze doden niet, maar ze doen meer pijn dan een emmer nijdnagels.

Holly kwam bij en wenste meteen dat ze dat niet had gedaan. Ze leunde naar voren op de grote stoel waarop ze was vastgebonden en gaf over op haar laarzen. Naast haar deed Trubbels Kelp hetzelfde. Wat was hier aan de hand? Laserwapens zouden geen bijwerkingen moeten hebben, tenzij je allergisch was, maar dat was ze niet.

Terwijl Holly rondkeek, kwam ze weer op adem. Ze zaten in een kleine, slordig gestuukte kamer, gedomineerd door een enorme tafel. Een enorme tafel, of een van menselijke afmetingen? Waren ze in een mensenhuis? Dat verklaarde de misselijkheid. Het was uitdrukkelijk verboden om zonder toestemming mensenhuizen binnen te gaan. De prijs voor het negeren van deze verordening was misselijkheid en het verlies van toverkracht.

De details van hun hachelijke situatie kwamen weer

boven. Ze was bezig met haar inwijding toen een paar elfen hen op het strand vanuit een hinderlaag hadden aangevallen. Was dit een soort uitzonderlijke test? Ze keek naar kapitein Kelp, die zijn hoofd liet hangen. Dat was nogal realistisch voor een test.

Krakend ging er een enorme deur open en er kwam een elf naar binnen, grinnikend. 'O, jullie voelen je niet lekker. Magische misselijkheid, of "boekbraken" zoals de jongere elfen het volgens mij noemen. Maak je geen zorgen. Dat is gauw over.'

De elf zag er ouder uit dan alle elfen die Holly kende en hij droeg een vergeeld elfBI-gala-uniform. Het leek wel alsof het uit een historische film kwam.

De elf ving Holly's blik op. 'Ja,' zei hij, terwijl hij zijn geplooide kraag goed deed. 'Mijn goeie goed vergaat. Dat is de vloek van een leven zonder toverkracht. Alles vergaat, niet alleen kleding. Als je in mijn ogen kijkt, zou je nooit zeggen dat ik amper een eeuw ouder ben dan mijn broer.'

Holly keek in zijn ogen. 'Broer?'

Naast haar bewoog Trubbels zich, spuugde en tilde zijn hoofd op. Holly hoorde hoe hij naar lucht hapte. 'O goden. Turnball Root.'

Holly's hoofd tolde. Root? Broer. Dit was de broer van de commandant.

Turnball was opgetogen. 'Eindelijk iemand die het zich herinnert. Ik dacht bijna dat ik vergeten was.'

'Ik ben afgestudeerd in de klassieke oudheid,' zei Trubbels. 'Je hebt je eigen pagina in het gedeelte "Ontoerekeningsvatbaar".'

Turnball probeerde nonchalant te doen, maar hij was geïnteresseerd. 'Vertel eens, wat staat er op die bladzijde?'

'Er stond dat je een verraderlijke kapitein was die probeerde een deel van Haven te laten overstromen, alleen maar om een concurrent uit te schakelen die bezig was zich in je illegale mijnbouwhandeltje te dringen. Er stond dat als je broer je niet had tegengehouden toen je je vinger op de knop had, de halve stad dan was verwoest.'

'Belachelijk,' zei Turnball afkeurend. 'Mijn plannen waren bestudeerd door ingenieurs. Er zou geen kettingreactie zijn opgetreden. Er zouden een paar honderd elfen zijn doodgegaan, meer niet.'

'Hoe ben je uit de gevangenis ontsnapt?' vroeg Holly.

Turnball zette zijn borst op. 'Ik heb geen dag in de gevangenis gezeten. Ik ben geen doorsnee crimineel.

Gelukkig had Julius niet het lef me te doden en ik ben er dus in geslaagd te ontsnappen. Sindsdien heeft hij me achtervolgd. Maar dat was vandaag voor het laatst.'

'Het gaat dus allemaal om wraak?'

'Gedeeltelijk,' gaf Turnball toe. 'Maar ook om vrijheid. Julius is als een hond met een bot. Hij laat niet los. Ik moet mijn martini kunnen drinken zonder over mijn schouder te hoeven kijken. De afgelopen vijf eeuwen heb ik zesennegentig huizen gehad. In de achttiende eeuw woonde ik in een prachtige villa bij Nice. De ogen van de oude elf werden wazig. 'Ik was daar zo gelukkig. Ik kan de zee nog steeds ruiken. Ik heb dat huis tot de grond toe moeten afbranden vanwege Julius.'

Holly draaide langzaam haar polsen rond, om zo de knopen iets losser te krijgen. Turnball zag de beweging.

'Doe geen moeite, liefje. Ik bind mensen al eeuwenlang vast. Dat is een van de eerste vaardigheden die je leert als voortvluchtige. Goed gedaan, trouwens. Een vrouw bij de inwijding. Ik wed dat mijn broertje dat niet leuk vindt. Hij is altijd ietwat sexistisch geweest.'

'Ja,' zei Holly. 'Terwijl jij toch een zeer fatsoenlijke elf bent.'

'Touché,' zei Turnball. 'Zoals ik in Frankrijk placht te zeggen.'

Trubbel's gezicht was zijn groene tint kwijt. 'Wat je ook voor plan hebt, denk maar niet dat ik je ga helpen.'

Turnball stond voor Holly en tilde met een gebogen nagel haar kin op. 'Ik verwacht geen hulp van jou, kapitein. Ik verwacht hulp van deze mooie meid hier. Van jou verwacht ik alleen maar wat geschreeuw voordat je doodgaat.'

Turnball had twee medeplichtigen: een norse dwerg en een aan de grond gebonden vleugelelf. De broer van commandant Root riep hen de kamer in om hen aan elkaar voor te stellen.

De naam van de dwerg was Bobb, en hij droeg een sombrero met een brede rand om de zon van zijn tere dwergenhuid te weren.

'Bobb is de beste inbreker die er bestaat, na Turf Graafmans,' legde Turnball uit, terwijl hij een arm over de brede schouders van de gedrongen dwerg legde. 'Maar, in tegenstelling tot die uitgekookte Graafmans kan hij niet goed plannen. Bobb maakte zijn grootste fout toen hij een gat groef en in een buurthuis uitkwam waar een geldinzamelingsactie van de politie werd gehouden. Sindsdien verschuilt hij zich aan de oppervlakte. We vormen een goed team: Ik maak een plan, hij steelt.' Hij wendde zich tot de vleugelelf en draaide hem om. Waar de vleugels van de vleugelelf hadden moeten zitten, zaten twee bulten littekenweefsel.

'Onze Unix is verzeild geraakt in een gevecht met een trol en heeft verloren. Hij was klinisch dood toen ik hem vond. Ik heb hem de laatste stoot toverkracht gegeven die ik nog had om hem terug te brengen, en tot op de dag van vandaag weet ik niet of hij daarom van me houdt of me erom haat. Hij is wel loyaal trouwens. Deze elf zou voor mij naar het middelpunt van de Aarde lopen.'

De groene gelaatstrekken van de vleugelelf waren uitdrukkingsloos en zijn ogen waren zo leeg als gewiste diskettes. Deze twee elfen waren degenen geweest die Holly en Trubbels op het kiezelstrand hadden neergeschoten.

Turnball rukte Holly's naamplaatje van haar borst. 'Dit is het plan. We gaan korporaal Short inzetten om Julius te lokken. Als je hem probeert te waarschuwen, sterft de kapitein onder vreselijke pijnen. Ik heb een Tunnelblauwspin in mijn zak, die zijn ingewanden binnen een paar seconden aan flarden scheurt. En omdat hij in een mensenhuis zit, heeft hij geen druppel toverkracht om die pijn te verzachten. Alles wat jij hoeft te doen is op een open plek gaan zitten en wachten tot Julius je komt halen. Wanneer hij dat doet, pakken we hem. Zo eenvoudig is het. Unix en Bobb gaan met je mee. Ik wacht hier op het prachtige moment dat Julius door die deur heen wordt gesleept.'

Unix sneed een aantal touwen door en trok Holly van de stoel. Hij duwde haar door de reusachtige deuropening het ochtendlicht in. Holly ademde diep in. De lucht was hier heel zacht, maar er was geen tijd om stil te staan en ervan te genieten.

'Waarom begin je niet te rennen, officier?' zei Unix, met een afwisselend hoge en lage stem, alsof hij half gebroken was. 'Ren maar weg en kijk wat er gebeurt.'

'Ja,' hoonde Bobb. 'Kijk maar wat er gebeurt.' Holly kon wel raden wat er zou gebeuren. Ze zou nog een laserstoot krijgen, deze keer in haar rug. Ze zou niet gaan rennen. Nog niet. Ze zou gaan nadenken en een plan maken.

Duwend en trekkend gingen ze met Holly tussen twee velden door die in zuidelijke richting naar de kliffen afliepen. Het gras was schaars en ruig, als plukjes baardhaar die bij het scheren zijn overgeslagen. Er verschenen zwermen meeuwen, sternen en aalscholvers boven de rand van het klif, als jachtvliegtuigen die naar kruishoogte klimmen. Ze gingen naar beneden door het kreupelhout vol dieren, toen Bobb stopte naast een lage rots die uit de aarde stak. Net groot genoeg om een elf tegen een aanval uit het oosten te beschutten.

'Omlaag,' gromde hij, terwijl hij Holly op haar knieën dwong.

Toen ze op de grond zat, deed Unix een kluister om haar been en sloeg de pin aan het andere uiteinde de aarde in.

'Zo kun je niet zomaar weglopen,' legde hij met een grijns uit. 'Als we zien dat je met je keten klooit, slaan we je voor een tijdje buiten westen.' Hij klopte op het vizier van zijn geweer dat om zijn borst hing. 'We houden je in de gaten.'

De schurkachtige elfen keerden op hun schreden terug door het veld en nestelden zich in twee holtes. Ze trokken camouflagefolie uit hun rugzak en trokken hem over zich heen. Binnen een paar seconden waren er alleen twee geweerlopen met een zwart oog te zien, die onder de folie uitstaken.

Het was een eenvoudig plan. Maar heel vernuftig. Als de commandant Holly vond, zou het lijken alsof ze een hinderlaag had opgezet. Alleen niet zo'n heel goede. Op het moment dat hij in zicht kwam, konden Unix en Bobb hem met geweervuur pakken.

Er moest een manier zijn om de commandant te waarschuwen zonder Trubbels in gevaar te brengen. Holly bekeek het van alle kanten. *Gebruik wat de natuur biedt.* De natuur bood heel veel, maar helaas kon ze er niet bij. Als ze het zou proberen, zouden Bobb en Unix haar verdoven met een stroomstoot, zonder dat ze het uitgangspunt van hun plan zouden hoeven te veranderen. Ze had ook niet veel bij zich. Unix had haar van top tot teen gefouilleerd en had zelfs de digipen in beslag genomen, zodat ze deze niet als wapen kon proberen te gebruiken. Het enige wat ze over het hoofd hadden gezien, was de flinterdunne computer om haar pols, maar die was door kortsluiting uitgeschakeld.

Holly liet haar arm achter de rots zakken en trok het klittenband terug dat haar computer tegen de elementen beschermde. Ze knipte het instrument open. Het leek alsof de hydrogel in de kast was gesijpeld waardoor er kortsluiting was opgetreden. Ze schoof het batterijklepje opzij en bekeek de printplaat die binnenin zat. Op de printplaat lag een minuscuul druppeltje gel dat verschillende schakelingen verbond, zodat er verbindingen waren ontstaan die er niet hoorden. Holly plukte een halm ruw gras en schepte hiermee het druppeltje op. Binnen een minuut was het resterende laagje gel verdampt en begon de kleine computer te zoemen. Holly schakelde snel het paneel op haar borst uit, zodat Bobb en Unix de knipperende cursor niet zouden zien.

Dus nu had ze een computer. Als ze haar helm had gehad, had ze de commandant een e-mail kunnen sturen. Zoals het er nu naar uitzag, kon ze alleen maar tekst over haar borst laten lopen.

HOOFDSTUK 4: **GEWAPENDE BROERS**

Tern Mór, Noordelijk Schiereiland

 Julius Root merkte verrast dat hij zwaar ademde. Er was een tijd geweest dat hij de hele dag kon rennen zonder te gaan zweten en nu bonsde zijn hart na amper drie kilometer rennen al tegen zijn borstkas. Hij had de shuttle op de top van een mistige rots op het noordelijke uitsteeksel van het eiland geparkeerd. Natuurlijk was de mist kunstmatig gegenereerd door een compressor, die aan de uitlaat van de shuttle zat geschroefd. Het projectieschild van de shuttle was nog ingeschakeld, de mist was alleen maar een extra steuntje in de rug.

Root bleef laag tijdens het rennen, hij boog bijna dubbel. Zo renden jagers. Tijdens het rennen voelde hij de oervreugde die hij alleen kreeg aan de oppervlakte. De zee beukte aan alle kanten om hem heen, een altijd aanwezig monster, een herinnering aan de macht van de

Aarde. Commandant Julius Root was het gelukkigst als hij boven de grond op jacht was. Hij had de inwijdingen natuurlijk kunnen delegeren, maar hij zou deze uitstapjes pas opgeven wanneer de eerste nieuweling hem had verslagen. Dat was nog niet gebeurd.

Bijna twee uur later pauzeerde de commandant en hij nam een diepe teug uit een veldfles. Deze jacht zou veel gemakkelijker zijn geweest met een paar vleugels, maar hij wilde het eerlijk spelen, dus had hij de vleugels op het rek in de shuttle achtergelaten. Hij wilde niet dat er werd gezegd dat hij iemand door een betere uitrusting had verslagen.

Root had alle voor de hand liggende plekken doorzocht, maar hij had korporaal Short nog niet gevonden. Holly was niet op het strand of in de oude steengroeve. Ze had zich ook niet verschanst in een boomtop in het naaldbos. Misschien was ze slimmer dan de gemiddelde cadet. Dat moest ze ook wel zijn. Om als vrouw te overleven bij Opsporing zou ze een heleboel wantrouwen en vooroordelen moeten overwinnen. Niet dat de commandant het haar ook maar iets gemakkelijker zou maken. Hij zou haar met dezelfde uitgesproken minachting behandelen als zijn andere ondergeschikten. Totdat ze iets beters verdienden.

Root hervatte zijn zoektocht, al zijn zintuigen gespitst op veranderingen in de omgeving die erop konden wijzen dat hij zelf was getraceerd. De ongeveer tweehonderd soorten vogels die op de steile rotsen van Tern Mór nestelden waren ongewoon actief. Boven zijn hoofd schreeuwden er meeuwen naar hem, kraaien volgden zijn bewegingen en Julius zag zelfs een arend die hem vanuit de lucht bespiedde. Door al dit lawaai vond hij het moeilijk zich te concentreren, maar de afleiding zou nog erger zijn voor korporaal Short.

Root rende een flauwe helling op, naar het mensenhuis. Short kon niet in het huis zelf zitten, maar ze zou het wel als dekking kunnen gebruiken. De commandant worstelde zich door het kreupelhout, waarbij zijn matgroene elfBI-overall in het gebladerte opging.

Julius hoorde een geluid voor zich. Een onregelmatig geschraap. Het geluid van weefsel tegen een rots. Hij bleef staan en verschool zich daarna dieper in het gebladerte. Een verstoord konijn draaide hem zijn staart toe en wurmde zich dieper de haag in. Root negeerde de braamstruiken die aan zijn ellebogen trokken en sloop naar voren, naar de oorzaak van het lawaai. Het kon niets zijn, maar aan de andere kant kon het ook van alles zijn.

Het bleek van alles te zijn. Vanuit zijn schuilplaats in het kreupelhout zag Root duidelijk hoe Holly achter een grote rots zat gehurkt. Het was niet echt een slimme plaats om je te verstoppen. Vanuit het oosten kon ze niet worden bereikt, maar aan alle andere kanten zat ze vol in het zicht. Kapitein Kelp was niet te zien, die was waarschijnlijk vanaf een hoger gelegen waarnemingspunt aan het filmen.

Root zuchtte. Het verbaasde hem dat hij zo teleurgesteld was. Het zou leuk zijn geweest om een meisje in zijn team te hebben. Een nieuw iemand om tegen te schreeuwen.

Julius trok zijn paintballpistool, waarbij hij de loop tussen de braamtakken door moest wurmen. Hij zou haar een paar keer raken, om indruk te maken. Short moest worden wakker geschud en ze moest beter haar best gaan doen als ze ooit de Opsporingbadge op haar revers wilde krijgen.

Root hoefde het vizier op zijn helm niet te gebruiken. Het was een gemakkelijk schot, amper twintig meter. En zelfs als het dat niet was geweest, zou Root zijn vizier niet hebben gebruikt. Short had geen elektronisch vizier, dus zij zou het ook niet gebruiken. Dat was nóg iets om over te schreeuwen na de mislukte inwijding.

Toen wendde Holly zich in de richting van het kreupelhout. Ze kon hem nog steeds niet zien, maar hij zag haar wel. En wat nog belangrijker was, hij kon de woorden lezen die over haar borst rolden.

TURNBALL + 2

Commandant Root liet de loop van zijn pistool in het kreupelhout zakken en trok zich terug in het donker van de begroeiing.

Root worstelde om zijn gevoelens in bedwang te houden. Turnball was terug. En hij was hier. Hoe was het mogelijk? Alle oude gevoelens kwamen razendsnel weer naar boven en de commandant voelde ze in zijn maag. Turnball was zijn broer en hij had nog steeds een sprankje gevoel voor hem. Maar het overheersende gevoel was verdriet. Turnball had het Volk verraden en hij was in staat geweest om velen te zien sterven voor zijn eigen gewin. Hij had zijn broer een keer laten ontsnappen, dat zou hij geen tweede keer doen.

Root worstelde naar achteren door het kreupelhout en activeerde zijn helm. Hij probeerde verbinding te leggen met Politie Plaza, maar hij kreeg alleen maar geruis op de helmradio. Turnball had waarschijnlijk een bal met aluminiumsnippers laten ontploffen.

Turnball kan dan de luchtgolven beheersen, de lucht zelf kon hij niet beheersen. En ieder levend iets zou de lucht verwarmen. Root liet een warmtefilter over zijn vizier zakken en begon het gebied achter korporaal Short langzaam en methodisch te onderzoeken.

Het onderzoek van de commandant duurde niet zo lang. Twee rode sleuven gloeiden op als een baken tussen het bleekroze veroorzaakt door insecten en knaagdieren die onder de oppervlakte krioelden. De sleuven werden waarschijnlijk veroorzaakt doordat er lichaamswarmte weglekte onder het camouflagefolie vandaan. Sluipschutters. Die in een hinderlaag op hem lagen te wachten. Dit waren geen professionele elfen. Als ze dat wel waren geweest, zouden ze de loop van hun geweer onder de folie hebben gehouden totdat hij echt nodig was, om zo het weglekken van warmte te voorkomen.

Root stopte zijn paintballpistool in zijn holster en trok in plaats daarvan een Neutrino 500. Normaal gesproken had hij in gevechtssituaties altijd een watergekoelde drieloopsrevolver bij zich, maar hij had geen gevecht verwacht. Hij gaf zichzelf in stilte op zijn kop. Sukkel. Een gevecht houdt zich niet aan vaste tijden.

De commandant maakte een omtrekkende beweging tot hij achter de sluipschutters was en vuurde toen vanaf een afstandje twee schoten op hen af. Dit was dan misschien niet zo sportief, maar het was absoluut wel het verstandigst. Tegen de tijd dat de sluipschutters bijkwamen, zouden ze aan elkaar vastgeketend achterin een politieshuttle zitten. Als hij per ongeluk twee onschuldige wezens had verdoofd, had dat verder geen blijvende gevolgen.

Commandant Root haastte zich naar het eerste verstopte wezen en trok de camouflagefolie weg. Er zat een dwerg onder, in een holte. Een nare kleine opdonder. Root herkende hem van de lijst met gezochte personen. Bobb Ragby. Een vervelend ventje. Precies het soort onbenullige crimineel dat Turnball voor zijn zaakjes zou inhuren. Root knielde neer bij de dwerg, ontwapende hem en deed hem plastic pols- en enkelboeien om.

Snel overbrugde hij de vijftig meter naar de tweede sluipschutter. Nog een bekende voortvluchtige: Unix B'Lob. De vleugelloze vleugelelf. Hij was al decennia Turnballs rechterhand. Root grinnikte terwijl hij de bewusteloze vleugelelf boeide. Alleen deze twee maakten dit al tot een goede dag. Maar de dag was nog niet voorbij.

Holly was heimelijk de pin uit de grond aan het wurmen toen Root aankwam.

'Kan ik je daarmee helpen?' vroeg Julius.

'Ga liggen, commandant,' siste Holly. 'Op dit moment zijn er twee geweren op u gericht.'

Root klopte op de geweren die hij over zijn schouder had gehangen. 'Bedoel je deze? Ik heb je tekst gelezen. Goed gedaan.' Hij sloot zijn vingers om de ketting en trok hem uit de aarde. 'De omstandigheden van je opdracht zijn gewijzigd.'

Dat meen je niet, dacht Holly.

Root gebruikte een omnistuk om de boei open te krijgen. 'Dit is niet langer een oefening. We bevinden ons nu in een gevechtssituatie, met een vijandige en waarschijnlijk gewapende tegenstander.'

Holly wreef over haar enkel, waar de boei haar huid had geschaafd. 'Uw broer, Turnball, houdt kapitein Kelp in het mensenhuis gevangen. Hij heeft gedreigd hem een Tunnelblauw-spin te voeren als er iets misgaat met zijn plan.'

Root zuchtte en leunde tegen de rots. 'We kunnen het huis niet in gaan. Als we dat wel doen, raken we niet alleen gedesoriënteerd, maar dan is de arrestatie ook niet wettig. Turnball is uitgekookt. Zelfs als we zijn mannetjes te slim af zouden zijn, zouden we het huis niet kunnen innemen.'

'We zouden laservizieren kunnen gebruiken om het doelwit te raken,' stelde Holly voor. 'Dan zou kapitein Kelp zelf naar buiten kunnen komen.'

Als het doelwit iemand anders dan zijn broer was geweest, zou Root hebben geglimlacht. 'Inderdaad, korporaal Short. Dat zouden we kunnen doen.'

Root en Holly gingen in looppas naar een richel waarvandaan ze uitzicht hadden op het mensenhuis. Het hutje lag in een kom, omgeven door zilveren berken.

De commandant krabde aan zijn kin. 'We moeten dichterbij zien te komen. Ik moet een goed schot door een van de ramen kunnen afvuren. We hebben waarschijnlijk maar één kans.'

'Zal ik een geweer nemen, meneer?' vroeg Holly.

'Nee. Je hebt geen wapenvergunning. Het leven van kapitein Kelp staat hier op het spel, dus ik moet iemand met een vaste vinger aan de trekker hebben. En zelfs als je Turnball te pakken zou krijgen, zou het onze hele zaak verknallen.'

'Maar wat kan ik dan doen?'

Root controleerde of beide wapens geladen waren. 'Blijf hier. Als Turnball me te pakken krijgt, ga je terug naar de shuttle en activeer je het noodsignaal. Als er geen hulp komt en je ziet Turnball aankomen, zet je de zelfvernietiger aan.'

'Maar ik kan de shuttle besturen,' protesteerde Holly.

'Ik heb er honderden uren in de simulators op zitten.'

'Maar je hebt geen vliegvergunning,' voegde de commandant eraan toe. 'Als je in dat ding gaat vliegen, kun je je carrière wel gedag zeggen. Schakel de zelfvernietiger in en wacht dan op de Reddingsdienst. Hij gaf Holly de startchip, die ook als lokator diende. 'Dat is een bevel, Short, dus haal die brutale uitdrukking van je gezicht, die maakt me zenuwachtig. En als ik zenuwachtig word, ga ik mensen ontslaan. Begrepen?'

'Ja meneer. De boodschap is overgekomen, meneer.'

'Goed zo.'

Holly hurkte achter de richel terwijl haar commandant zich een weg baande tussen de bomen door, naar het huis toe. Halverwege de heuvel zette hij zijn schild aan, waardoor hij voor het blote oog onzichtbaar werd. Wanneer een elf zijn schild aanzette, trilde hij zo snel dat het oog geen beeld van hem kon krijgen. Natuurlijk moest Root het schild uitzetten om zijn broer neer te schieten, maar dat was pas op het laatste moment.

Root proefde ijzelvijlsel in de lucht, ongetwijfeld een overblijfsel van de ballen met aluminiumsnippers die Turnball eerder had afgevuurd. Hij liep zorgvuldig over het ongelijke terrein totdat de ramen aan de voorkant van het huis duidelijk te zien waren. De gordijnen waren open, maar er was geen teken van Turnball of kapitein Kelp. Dan maar via de achterkant.

De commandant sloop tegen de muur gedrukt langs het pad met gebarsten flagstones naar de achterkant van het huisje. Aan weerszijden van de smalle, verwaarloosde tuin stonden bomen. En daar, op een stoel op de stenen patio, zat zijn broer Turnball, met zijn gezicht naar de zon gekeerd, zorgeloos te genieten.

Roots adem stokte en hij hield zijn pas in. Zijn enige broer. Zijn eigen vlees en bloed. De commandant stelde zich een ogenblik voor hoe het zou zijn om zijn broer te omhelzen en het verleden te vergeten, maar dat moment ging snel voorbij. Het was te laat voor een verzoening. Er waren bijna elfen gestorven en dat kon nog steeds gebeuren.

Root hief zijn wapen op en richtte de loop op zijn broer. Het was een belachelijk eenvoudig schot, zelfs voor een middelmatig schutter. Hij kon niet geloven dat zijn broer stom genoeg was om zich op deze manier bloot te geven. Terwijl hij dichterbij sloop, werd Julius treurig toen hij zag hoe sterk Turnball was verouderd. Er zat amper een eeuw tussen hen en toch zag zijn oudere broer eruit alsof hij maar net genoeg energie had om te blijven staan. Een lang leven was een onderdeel van elfentoverkracht en zonder toverkracht had de tijd Turnball vroeg te pakken gekregen.

'Hallo Julius, ik hoor je heus wel,' zei Turnball, zonder zijn ogen te openen. 'De zon is heerlijk, nietwaar? Hoe kun je zonder zon leven? Waarom doe je je schild niet af? Ik heb je gezicht al zo lang niet gezien.'

Root liet zijn schild zakken en moest zich inspannen om goed te blijven richten. 'Houd je mond, Turnball. Praat niet tegen me. Je bent een bijna-veroordeelde, dat is alles. Niets meer.'

Turnball opende zijn ogen. 'Ach, broertje. Je ziet er niet zo goed uit. Hoge bloeddruk. Ongetwijfeld omdat je mij achterna hebt gezeten.'

Julius werd ongewild in het gesprek gezogen. 'Moet je horen wie het zegt. Je ziet eruit als een tapijt dat een keer te veel is uitgeklopt. En ik zie dat je nog steeds het oude elfBI-uniform draagt. We hebben geen geplooide kraag meer, Turnball. Als je nog steeds kapitein was, had je dat geweten.'

Turnball pofte zijn kraag op. 'Wil je het daar echt over hebben, Julius? Uniformen? Na al die tijd?'

'We hebben meer dan genoeg tijd om te praten wanneer ik je bezoek in de gevangenis.'

Turnball stak dramatisch zijn polsen uit. 'Goed dan,

commandant. Neem me maar mee.'

Julius was achterdochtig. 'Gewoon zo? Wat ben je van plan?'

'Ik ben moe,' zuchtte zijn broer. Ik ben moe van het leven tussen het Moddervolk. Het zijn zulke barbaren. Ik wil naar huis, zelfs als dat betekent dat ik de cel in moet. Het is duidelijk dat je mijn helpers onschadelijk hebt gemaakt, dus heb ik geen keus meer.

Root's soldatenintuïtie rinkelde als een bel in zijn hoofd. Hij liet het warmtefilter in zijn vizier zakken en zag dat er maar een andere elf in het huis was. Iemand die was vastgebonden in een zittende positie. Dat moest kapitein Kelp zijn.

'En waar is de verrukkelijke korporaal Short?' vroeg Turnball langs zijn neus weg.

Root besloot dat hij nog een troef achter de hand zou houden, voor het geval dat. 'Dood,' bracht hij uit. 'Jouw dwerg schoot haar neer toen ze me waarschuwde. Dat is nog een aanklacht waartegen je je moet verdedigen.'

'Wat maakt een aanklacht meer of minder uit? Ik heb maar één leven dat ik in gevangenschap moet doorbrengen. Ik zou maar opschieten en me arresteren, Julius. Want als je dat niet doet, zou ik wel eens terug het huis in kunnen gaan.'

Julius moest snel nadenken. Het was duidelijk dat Turnball een plan had. En hij zou het waarschijnlijk uitvoeren op het moment dat Julius hem de handboeien omdeed. Maar als hij bewusteloos was, zou hij niets kunnen doen.

Zonder waarschuwing raakte de commandant zijn broer met een schot stroom met een laag voltage. Net genoeg om hem een paar tellen neer te leggen. Turnball zakte achterover, met een verbaasde uitdrukking op zijn gezicht.

Root deed de Neutrino in zijn holster en haastte zich naar zijn broer toe. Hij wilde dat Turnball gekneveld was als een zonnewendekalkoen wanneer hij bijkwam. Julius zette drie stappen, maar toen voelde hij zich niet zo lekker. Hij kreeg bonzende hoofdpijn, alsof er een loden gewicht van grote hoogte op hem was neergekomen. Het zweet brak hem uit en zijn neusholten zaten ineens verstopt. Wat was hier aan de hand? Root viel op zijn knieën en daarna ook op zijn handen. Hij wilde overgeven en daarna acht uur slapen. Zijn botten waren van rubber en zijn hoofd woog een ton. Iedere ademtocht klonk versterkt en vanuit de verte.

De commandant bleef meer dan een minuut in die positie zitten, volledig hulpeloos. Een kitten had hem

omver kunnen duwen en zijn portemonnee kunnen stelen. Hij kon alleen maar toekijken hoe Turnball weer bijkwam, met zijn hoofd schudde om de laatste verdoving te verdrijven en langzaam begon te glimlachen.

Turnball stond op en torende boven zijn hulpeloze broer uit. 'Wie is er nu het slimst?' schreeuwde hij tegen zijn overwonnen broer. 'Wie is altijd het slimst geweest?'

Root kon niet antwoorden. Hij kon alleen proberen meester over zijn gedachten te zijn. Het was te laat voor zijn lichaam, dat had hem verraden.

'Jaloezie,' verkondigde Turnball, terwijl hij zijn armen spreidde. 'Het heeft altijd om jaloezie gedraaid. Ik ben op alle fronten beter dan jij en dat kun je niet uitstaan.' De waanzin straalde nu uit zijn ogen en er spatten vlokjes spuug op zijn kin en wangen.

Root slaagde erin drie woorden uit te brengen: 'Je bent geschift.'

'Nee hoor,' zei Turnball. 'Ik ben het zat. Ik ben het zat voor mijn eigen broer weg te rennen. Het is allemaal veel te melodramatisch. Dus hoe veel pijn het me ook zal doen, ik ga je je kracht afnemen. Ik ga je toverkracht afnemen. Dan ben je net zoals ik. Ik ben al begonnen, wil je niet weten hoe?'

Turnball pakte een kleine afstandsbediening uit de zak

van zijn enorme jas. Hij drukte op een knopje en rond de broers werden glazen wanden zichtbaar. Ze waren niet langer buiten in de tuin, ze waren binnen in een serre. Root was door openslaande deuren naar binnen gegaan.

'Ondeugend hoor, commandant,' berispte Turnball hem. 'Je bent zonder uitnodiging een mensenhuis binnengegaan. Dat is tegen de regels van ons geloof. Als je dat nog een paar keer doet, is je toverkracht voor altijd verdwenen.'

Root liet zijn hoofd nog verder hangen. Hij was met open ogen in Turnball's val gelopen, als een nieuwe rekruut die twee dagen van de Academie was. Zijn broer had wat vellen camouflagefolie en wat projectoren opgesteld om de serre aan het oog te onttrekken en hij was erin getrapt. Nu was Holly Short nog zijn enige hoop. En als Turnball kapitein Kelp en hemzelf te snel af was geweest, wat voor kans had een meisje dan?

Turnball greep Root bij zijn nekvel en sleepte hem naar het huis. 'Je ziet er niet al te best uit,' zei hij, met zijn stem vol gespeelde bezorgdheid. 'Laten we je maar naar binnen brengen.'

HOOFDSTUK 5: **CARRIÈRE OF KAMERADEN?**

Holly zag vanaf de richel hoe de commandant werd gevangengenomen. Toen Root neerviel, sprong ze op en rende de heuvel af, op het punt om de bevelen te negeren en de commandant te redden. Toen werd de serre zichtbaar, waardoor Holly plotsklaps bleef staan. Binnen de grenzen van het huis was ze niet van nut, tenzij ze de commandant op een of andere manier kon redden door over te geven. Er moest een andere manier zijn.

Holly draaide zich om, kroop op handen en voeten de heuvel weer op door met haar vingers in de aarde te klauwen en sleepte zichzelf terug naar het bos. Toen ze weer in dekking lag, activeerde ze de lokator in de startchip van de shuttle. Ze had de instructie gekregen terug naar het voertuig te gaan en een noodsignaal uit te zenden.

Uiteindelijk zou het door de storing heendringen die de aluminiumsnippers veroorzaakten. Maar waarschijnlijk zou het dan te laat zijn.

Ze rende door de woeste velden, terwijl het ruige gras haar bij haar laarzen greep. Boven haar hoofd vlogen vogels en hun wanhopige gekrijs gaf op een of andere manier haar eigen stemming weer. De wind blies in haar gezicht en remde haar af. Zelfs de natuur leek vandaag tegen de elfBI te zijn.

Het piepje van de lokator leidde haar door een dijhoge stroom. Het ijskoude water sloeg door de gaten in Holly's pak en stroomde over haar benen. Ze negeerde het, evenals een forel ter grootte van haar arm, die heel geïnteresseerd leek in het materiaal van haar pak. Ze worstelde door, over een hek van mensengrootte en tegen een steile heuvel op. Op de top van de heuvel hing laaghangende mist, als slagroom op een plak cake.

Holly rook de mist al voordat ze hem had bereikt. Het was chemische mist. Geproduceerd. In de mistbank was de shuttle zichtbaar.

Met een laatste krachtinspanning sloeg Holly de slierten hardnekkige nepmist aan de kant en opende de shuttledeur van een afstand. Ze viel naar binnen, en lag een ogenblik met haar gezicht naar beneden op het luik, terwijl ze diep ademhaalde. Toen krabbelde ze weer op haar benen en gaf een klap op de noodknop op het dashboard, waarmee ze de noodstraal activeerde.

Het tekentje voor de straal lichtte op, gevolgd door een enorme anticlimax. Holly kon alleen maar toekijken hoe er storingsboodschappen op het plasmascherm verschenen. Daar zat ze dan, bij miljoenen goudstaven kostende technologie, en ze mocht niets doen.

Kapitein Kelp en commandant Root waren in dodelijk gevaar en ze had het bevel gekregen om te gaan zitten duimendraaien. Als ze de shuttle zou besturen, zou ze een direct bevel negeren en zou haar carrière bij Opsporing voorbij zijn voordat die was begonnen. Maar als ze hem niet zou besturen, zouden haar kameraden doodgaan. Wat was belangrijker, carrière of kameraden?

Holly stak de startchip in de contactsleuf en gespte zichzelf vast.

Turnball Root vermaakte zich opperbest. Eindelijk was het ogenblik aangebroken waarvan hij tientallen jaren had gedroomd. Zijn kleine broertje was aan zijn genade overgeleverd.

'Ik wilde je de komende vierentwintig uur hier houden tot je toverkracht helemaal is verdwenen. Dan worden we weer echte broers. Een echt team. Misschien besluit je met me mee te doen. Zo niet, dan zul je de jacht ook niet meer leiden. De elfBI zet geen personeel in zonder toverkracht.'

Root lag opgerold als een balletje op de vloer, zijn gezicht groener dan het achterwerk van een vleugelelf. 'Blijf maar lekker dromen,' gromde hij. 'Je bent niet mijn broer.'

Turnball kneep in zijn wang. 'Je gaat me nog wel aardig vinden hoor, broertje. Het is verbazingwekkend tot wie een elf zich wendt in tijden van nood. Geloof me, ik weet er alles van.'

'Dat had je gedroomd.'

Turnball zuchtte. 'Nog steeds even koppig. Je koestert waarschijnlijk gedachten over een ontsnapping. Of misschien geloof je dat ik uiteindelijk mijn kleine broertje nooit iets aan zou kunnen doen. Is dat het? Denk je dat ik een hart heb? Misschien een kleine demonstratie…'

Turnball tilde kapitein Kelp's hoofd van zijn borst. Trubbels was amper bij bewustzijn. Hij was al te lang in het huis. Hij zou nooit meer op honderd procent van zijn magische potentieel lopen. Niet zonder een infuus door een team tovenaars. En wel heel snel.

Turnball hield een kleine kooi voor Trubbels' gezicht. Binnenin krabde een Tunnelblauw-spin aan het gaas.

'Ik houd van deze wezens,' zei Turnball zachtjes. 'Ze doen alles om te overleven. Ze doen me aan mezelf denken. Deze kleine zal korte metten maken met de kapitein hier.'

Root probeerde een hand op te tillen. 'Turnball, doe het niet.'

'Ik moet wel,' zei Turnball. 'Beschouw het maar als gedaan. Je kunt niets doen.'

'Turnball. Dat is moord.'

'Moord is een woord. Alleen maar een woord.'

Turnball Root begon aan het schuifje te wriemelen. Er was nog maar twee centimeter metaal over om het deurtje tegen te houden toen een speervormige communicatiespies het dak doorboorde en in de vloerplanken drong. Holly's versterkte stem dreunde uit de speaker in de schacht, waardoor het hele huis stond te trillen.

'Turnball Root,' zei de stem. 'Laat je gevangenen vrij en geef je over.'

Turnball deed het schuifje weer dicht, en deed het kooitje in zijn zak. 'Het meisje was toch dood? Wanneer houd je nou eens op met tegen me te liegen, Julius?'

Julius was te zwak om te antwoorden. De wereld was een nare droom geworden. Hij ademde zwaar.

Turnball richtte zijn aandacht op de communicatiespies. Hij wist dat het instrument zijn woorden naar de shuttle erboven zou zenden.

'De mooie korporaal, levend en wel. Nou ja, dat maakt niets uit. Jij kunt niet naar binnen komen en ik ga niet naar buiten. Als je toch naar binnen komt, ga ik vrijuit. En niet alleen dat, ik heb ook nog ergens een shuttle. Als je probeert me tegen te houden wanneer ik klaar ben om te vertrekken, dan is mijn arrestatie onwettig en zal mijn advocaat je in mootjes hakken, als een walvis in een mensenboot.'

'Ik blaas dat huis naar de andere wereld,' waarschuwde Holly door de communicatiespies.

Turnball spreidde zijn armen. 'Doe maar. Dan verlos je me uit mijn lijden. Maar bij de eerste inslag voer ik mijn spin aan de commandant. De broertjes Root zullen deze aanval niet overleven. Zie het onder ogen, korporaal. Je kunt niet winnen zolang dit huis er staat.'

Boven hem in de shuttle besefte Holly dat Turnball overal aan had gedacht. Hij kende het boek met elfBI-regels beter dan zij. Hoewel zij degene was met het voertuig, had Turnball de beste kaarten. Als ze de regels overtrad, kon hij er eenvoudigweg vandoor gaan en vertrekken in zijn eigen shuttle, die ongetwijfeld niet ver hiervandaan was verstopt.

'Je kunt niet winnen zolang dit huis er staat.'

Hij had gelijk. Ze kon niet winnen zolang het mensenhuis haar mede-elfBI-officieren omgaf. Maar wat als er geen huis was?

Holly bekeek snel de specificaties van de shuttle. Hij had de standaard koppelklemmen voor en achter. Met behulp van de klemmen kon de shuttle op oneffen terrein landen, maar ze konden ook worden gebruikt om voertuigen op te takelen, of misschien ook wel voor andere, minder conventionele operaties.

'Je kunt niet winnen zolang dit huis er staat.'

Holly voelde dat het zweet haar in de nek uitbrak. Was ze niet goed snik? Zou ze haar plannetje voor de rechtbank kunnen rechtvaardigen? Het maakte niet uit, besloot ze. Er stonden levens op het spel.

Ze wipte de veiligheidsafdekking van de voorste klemmen en richtte de shuttle zo dat de neus naar het vissershutje wees.

'Laatste waarschuwing, Turnball,' zei Holly in de communicatiespies. 'Kom je naar buiten?'

'Nog niet, liefje,' kwam het vrolijke antwoord. 'Maar kom gerust naar binnen om ons gezelschap te houden.'

Holly nam niet de moeite om nog wat te zeggen. Met een schakelaar schakelde ze de voorste klemmen in. De klemmen op dit specifieke model werden bediend door tegenoverliggende magnetische velden en de meters lieten een kleine puls zien toen de twee cilindrische klemmen vanuit de buik van de shuttle schoten en recht door het dak van het hutje gingen.

Holly stelde de kabel in op twintig meter zodat de klemmen niet tot hoofdhoogte zouden komen. Er kwamen grijpklauwen uit de klemmen, die houten balken, vloerplanken en pleisterwerk grepen. Holly trok de klemmen terug, zonder op de puinhoop te letten. Het grootste deel van het dak was weg en de zuidelijke muur stond gevaarlijk te wankelen. Holly nam snel een foto en haalde hem door de computer om hem te analyseren.

'Computer,' zei ze. 'Mondeling verzoek.'

'Ga uw gang,' zei de computer met de stem van Foaly, de technische tovenaar van de elfBI.

'Lokaliseer de draagpunten.'

'Lokaliseren.'

Binnen een paar seconden had de computer de foto gereduceerd tot een driedimensionale afbeelding met lijnen. Er pulseerden zachtjes vier rode puntjes op de tekening. Als ze er een kon raken, zou het hele huis instorten. Holly keek wat beter. Sloop was een van haar favoriete lessen geweest op de Academie en ze zag dat als ze de dwarsbalk op de eerste verdieping bij de voorgevel oppakte, de rest van het huis naar buiten zou vallen.

Turnball ging tekeer tegen de communicatiespies. 'Wat

doe je nou?' brulde hij. 'Dit kun je niet maken. Dat is tegen de regels. Zelfs als je het dak van het huis rukt, mag je nog niet binnenkomen.'

'Welk huis?' zei Holly, en vuurde de derde klem af.

De klem greep de balk en rukte hem uit de bakstenen. Het huis kreunde als een dodelijk gewonde reus, sidderde en stortte in. De instorting was bijna komisch omdat ze zo plotseling ging en er bijna geen baksteen naar binnen viel. Turnball Root kon zich nergens meer verstoppen.

Holly richtte een laserpuntje op Turnballs borst. 'Een stap,' zei ze, 'en ik blaas je de oceaan in.'

'Je kunt me niet neerschieten,' antwoordde Turnball heftig. 'Je bent niet gecertificeerd om te vechten.'

'Nee,' zei een stem naast hem. 'Maar ik wel.'

Trubbels Kelp was al opgesprongen en sleepte de enorme stoel achter zich aan. Hij wierp zich op Turnball Root en ze vielen neer in een kluwen van houten benen en benen van vlees en bloed.

Erboven in de shuttle sloeg Holly op het dashboard. Ze had helemaal klaargestaan om Turnball Root met een schot uit de laser uit te schakelen, het was nu toch al te laat om je zorgen te gaan maken over de regels. Ze stuurde de shuttle tot op een veilige afstand en zette de landing in.

In de resten van het hutje kwamen de krachten van commandant Root langzaam terug. Nu het mensenhuis was vernietigd, trok de magische misselijkheid snel weg. Hij kuchte, schudde zijn hoofd en ging op zijn knieën zitten.

Trubbels was in het puin met Turnball aan het vechten. Aan het vechten en aan het verliezen. Turnball mocht dan wel ouder zijn, maar hij was bezeten en helder van geest. Keer op keer sloeg hij de kapitein in zijn gezicht.

Julius pakte een geweer van de vloer. 'Geef het maar op, Turnball,' zei hij vermoeid. 'Het is afgelopen.'

Turnball's schouders zakten en hij draaide zich langzaam om. 'Ah, Julius. Broertje van me. Het komt weer eens hierop neer. Broer tegen broer.'

'Houd alsjeblieft je mond. Ga plat op de grond liggen met je handen achter je hoofd. Je weet hoe het moet.'

Turnball ging niet liggen. In plaats daarvan stond hij langzaam op, terwijl hij verleidelijk bleef praten. 'Dit hoeft niet het einde te zijn. Laat me nou gewoon gaan. Ik zal uit je leven verdwijnen. Je zult nooit meer iets van me horen, ik zweer het. Dit was allemaal een vergissing, dat zie ik nu in. Ik heb er oprecht spijt van.'

Root's energie kwam terug, waardoor zijn vastbeslotenheid werd versterkt. 'Houd je kop, Turnball, of ik knal je zo neer.'

Turnball glimlachte gladjes. 'Je kunt me niet doden. We zijn familie.'

'Ik hoef je ook niet te doden, ik hoef je alleen maar uit te schakelen. Kijk me in mijn ogen en vertel me dat ik dat niet zou doen.'

Turnball keek in de ogen van zijn broer en zag daar de waarheid.

'Ik kan niet naar de gevangenis, broer. Ik ben geen doorsnee crimineel. De gevangenis zou me gewoontjes maken.'

In een flits reikte Turnball in zijn zak naar het gazen kooitje. Hij deed de schuif open en slikte de spin in. 'Er was eens een oude man die een spin opat,' zei hij, en toen: 'Tot ziens, broer.'

Root doorkruiste de verwoeste keuken in drie stappen. Hij trok een omgevallen kast open en zocht tussen het voedsel. Hij pakte een bus oploskoffie en draaide het deksel eraf. Na nog twee stappen knielde hij neer bij zijn gevallen broer en duwde hem handenvol koffiekorrels door zijn keel.

'Zo eenvoudig is dat niet, Turnball. Je bent een doorsnee crimineel en je gaat gewoon naar de gevangenis.'

Na een ogenblik stopte Turnball met proppen. De spin was dood. De oude elf was gewond, maar hij leefde nog.

Root deed hem snel een paar handboeien om en haastte zich toen naar Trubbels.

De kapitein zat alweer. 'Ik wil je niet beledigen hoor, commandant, maar je broer slaat als een elf.'

Root glimlachte bijna. 'Daar heb je geluk mee gehad, kapitein.'

Holly rende over het tuinpad, door wat eens de woonkamer was geweest, de keuken in.

'Is alles in orde?'

Root had een ongewoon stressvolle dag gehad en ongelukkig genoeg kreeg Holly nog een restje over zich heen.

'Nee, Short, niet alles is in orde,' blafte hij, terwijl hij het stof van zijn revers veegde. 'Mijn oefening is overgenomen door een beruchte crimineel, mijn kapitein heeft zich laten vastbinden als een prijswinnend varken en jij hebt mijn rechtstreekse bevel genegeerd en de shuttle bestuurd. Dat betekent dat de hele zaak verknald is.'

'Alleen maar deze zaak,' zei Trubbels. 'Hij heeft nog verschillende levenslange straffen die hij moet uitzitten voor vroegere misdaden.'

'Daar gaat het niet om,' ging Root onverbiddelijk door. 'Ik kan je niet vertrouwen, Short. Je hebt ons gered, dat is waar, maar bij Opsporing gaat het erom niet op te vallen en jij bent geen onopvallende elf. Het kan onredelijk lijken na alles wat je hebt gedaan, maar ik ben bang dat er in mijn brigade voor jou geen plaats is.'

'Commandant,' wierp Trubbels tegen. 'U kunt dit meisje na dit alles niet laten zakken. Als zij er niet was geweest, was ik nu biologisch aan het afbreken.'

'Dit is niet uw beslissing, kapitein. Evenmin als dat het uw gevecht is. Dit eskadron draait om vertrouwen, en korporaal Short heeft het mijne niet verdiend.'

Trubbels was verbijsterd. 'Sorry, meneer, maar u hebt haar geen eerlijke kans gegeven.'

Root wierp een scherpe blik op zijn officier. Trubbels was een van zijn beste elfen, en hij stak zijn nek uit voor dit meisje.

'Oké, Short. Als je iets kunt doen om me van gedachten te laten veranderen, dan is dit je kans. Je enige kans. Nou, kun je iets doen?'

Holly keek naar Trubbels en ze zou zweren dat hij naar haar knipoogde. Dit gaf haar de moed om iets ondenkbaars te doen, heel brutaal en ongehoorzaam onder de omstandigheden.

'Alleen dit, commandant,' zei ze.

Holly trok haar paintballpistool en schoot commandant Julius Root drie keer in zijn borst. Door de inslag moest hij een stap naar achteren doen.

'"Als je mij raakt voordat ik jou raak, ben je toegelaten,"' mompelde Holly. '"Zonder verdere vragen."'

Trubbels moest lachen tot hij overgaf. Letterlijk. De magische misselijkheid was nog niet helemaal verdwenen. 'O goden,' hijgde hij. 'Ze heeft je te pakken, Julius. Dat heb je gezegd. Dat zeg je al honderd jaar.'

Root haalde een vinger door de stollende verf op de plaat op zijn borst.

Holly keek naar haar tenen, ervan overtuigd dat ze helemaal uit de dienst zou worden gegooid. Links riep Turnball om zijn advocaat. Er vlogen zwermen beschermde vogels over hun hoofd en buiten in de velden zouden Unix en Bobb zich wel afvragen waardoor ze waren geraakt.

Uiteindelijk durfde Holly op te kijken. Op het gezicht van de commandant waren tegenstrijdige emoties te lezen. Boosheid, maar ook ongeloof. En misschien, heel misschien, een klein beetje bewondering.

'Je hebt me inderdaad geraakt,' zei hij uiteindelijk.

'Dat klopt,' stemde Trubbels in. 'Dat heeft ze gedaan.'

'En ik heb gezegd...'

'Dat heb je zeker gedaan.'

Root draaide zich om naar Trubbels. 'Wat ben jij? Een papegaai? Wil je je klep wel eens dichthouden? Ik probeer hier mijn trots opzij te zetten.'

Trubbels maakte een gebaar alsof hij zijn lippen op slot deed en de sleutel weggooide.

'Dit gaat de afdeling een schep geld kosten, Short. We moeten hier alles weer opbouwen, of een plaatselijke vloedgolf opwekken om de schade te verhullen. Dat kost me zes maanden van mijn budget.'

'Ik weet het, meneer,' zei Holly. 'Sorry, meneer.'

Root pakte zijn portemonnee en haalde een paar zilveren eikels uit een vakje. Hij gooide ze naar Holly, die ze in haar verbazing bijna miste.

'Doe deze op. Welkom bij Opsporing.'

'Dank u wel, meneer,' zei Holly, terwijl ze het insigne op haar revers speldde. Het ving de opkomende zon en flitste als een satelliet.

'De eerste vrouw in Opsporing,' kreunde de commandant.

Holly keek naar de grond om de grijns die ze niet kon inhouden, te verbergen.

'Je zult er wel binnen zes maanden uitliggen,' ging Root door, 'en me waarschijnlijk handenvol geld kosten.'

Hij had het bij het verkeerde eind wat het eerste betrof, het tweede klopte.

ELFENCODE

Het Elfenboek, geschreven in het Gnomisch, bevat
de geschiedenis en geheimen van het Volk. Tot nu
toe was Artemis Fowl de enige mens die deze oude
taal kon lezen. Met de sleutel op pagina 85 kun jij
nu ook het volgende oude advies ontcijferen:

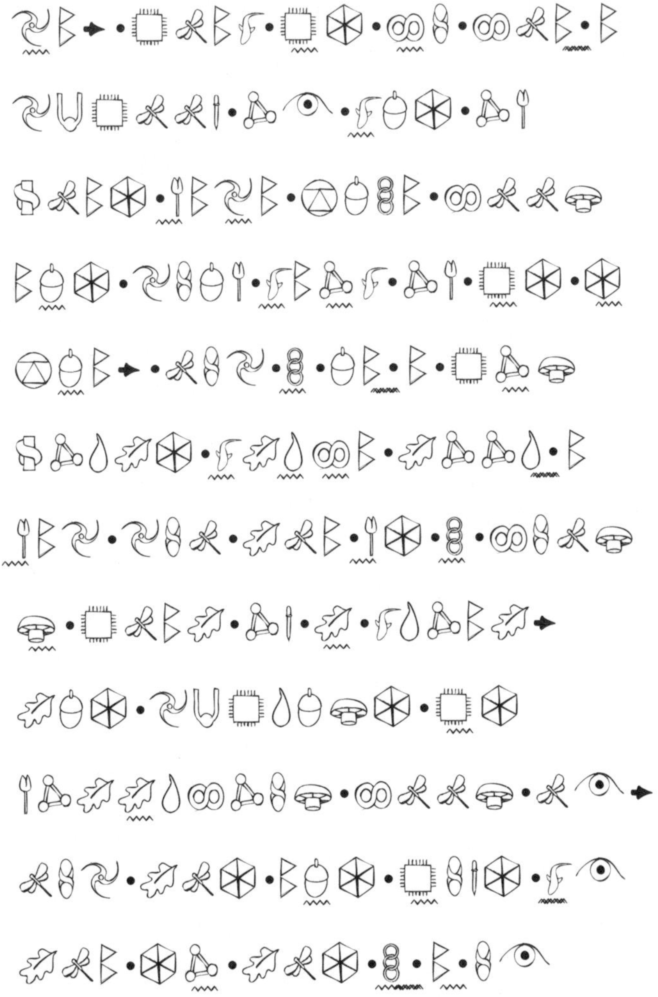

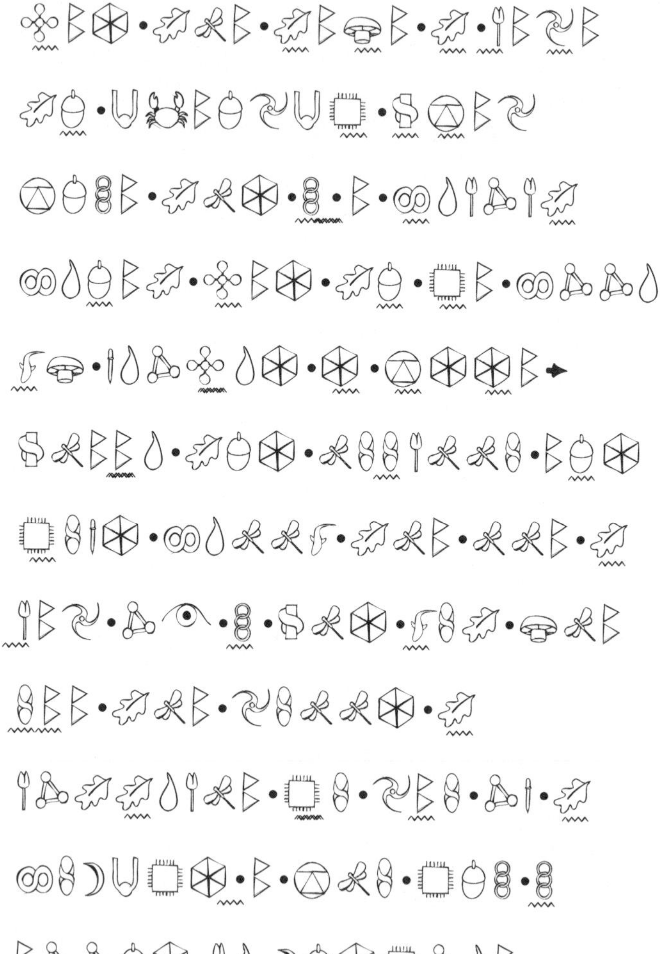

Gnomisch Alfabet

a b c d e f g

h i j k l m n

o p q r s t u

v w x y z spatie punt

HET VOLK

EEN GIDS VOOR SPOTTERS

ELFEN

Onderscheidende kenmerken:
Ongeveer een meter groot
Puntige oren
Bruine huid
Kastanjebruin haar

Karakter:
Intelligent
Sterk gevoel voor goed en slecht
Zeer loyaal
Sarcastisch gevoel voor humor, hoewel dat ook alleen het kenmerk kan zijn van één bepaalde vrouwelijke elfBI-officier

Houden van:
Vliegen, in een voertuig of met vleugels

Situaties die je moet vermijden:
Ze houden er helemaal niet van als je hen ontvoert en hun goud steelt

Er zijn heel veel verschillende soorten elfen en het is belangrijk om te weten om wie het gaat. Dit is wat informatie die door Artemis Fowl tijdens zijn avonturen is verzameld. De informatie is vertrouwelijk en mag niet in de verkeerde handen vallen. De toekomst van het Volk hangt ervan af.

DWERGEN

Onderscheidende kenmerken:
Klein, rond en harig
Grote tanden die lijken op grafstenen, goed om… eigenlijk alles te vermalen
Kaken die opengescharnierd kunnen worden, zodat ze tunnels kunnen graven
Gevoelige baardharen
Huid die als zuignapjes fungeert wanneer hij is uitgedroogd
Stinken

Karakter:
Gevoelig
Intelligent
Criminele neigingen

Houden van:
Goud en waardevolle edelstenen
Tunnels graven
Het donker

Situaties die je moet vermijden:
In dezelfde afgesloten ruimte zijn als zij wanneer ze een tunnel hebben gegraven en een heleboel lucht hebben gehapt. Als ze naar de bilflap op hun broek grijpen, zorg dan dat je je uit de voeten maakt…

✝ROLLEN

Onderscheidende kenmerken:
Enorm groot, zo groot als een olifant
Lichtgevoelige ogen
Haten lawaai
Harig, met dreadlocks
Intrekbare klauwen
Tanden! Heel erg veel tanden
Slagtanden als een wild zwijn (een heel wild zwijn)
Groene tong
Uitzonderlijk sterk
Zwak punt bij de schedelbasis

Karakter:
Heel, heel dom. Trollen hebben kleine hersens
Gemeen en slechtgehumeurd

Houden van:
Eten, alles eigenlijk. Een paar koeien vormen een lichte snack

Situaties die je moet vermijden:
Grapje zeker? Als je zelfs maar denkt dat er een trol in de
nabijheid is, ren dan als de wiedeweerga weg

Kobolds

Onderscheidende kenmerken:
Geschubd
Ogen zonder oogleden. Ze likken hun oogballen om ze
vochtig te houden
Kunnen vuurballen gooien
Ze lopen op alle vier de poten wanneer ze snel moeten
rennen
Gevorkte tong
Minder dan een meter lang
Slijmerige, vuurbestendige huid

Karakter:
Niet slim, maar sluw
Twistziek
Ambitieus
Hongerig naar macht

Houden van:
Vuur
Een goede discussie
Macht

Situaties die je moet vermijden:
Ga niet in de weg staan wanneer ze een vuurbal gooien

Centaurs

Onderscheidende kenmerken:
Half mens, half pony
Harig, nogal logisch!
Hoeven kunnen erg droog worden

Karakter:
Extreem intelligent
IJdel
Paranoïde
Aardig
Computernerd

Houden van:
Opscheppen
Uitvinden

Situaties die je moet vermijden:
Lichamelijk zijn ze niet erg gevaarlijk, maar ze gaan pruilen als je
hun uitvindingen bekritiseert, een rommeltje maakt van hun
harde schijf of hun vochtinbrengende hoefcrème leent

VLEUGELELFEN

Onderscheidende kenmerken:
Ongeveer een meter lang
Puntige oren
Groene huid
Vleugels

Karakter:
Gemiddelde intelligentie
Over het algemeen heel zorgeloos

Houden van:
Vliegen, meer dan van wat ook, boven of onder de grond

Situaties die je moet vermijden:
Kijk uit voor laagvliegende vleugelelfen, ze letten niet altijd op

INTERVIEW MET ARTEMIS FOWL II

Als je geen crimineel genie zou zijn, wat zou je dan doen?
Ik denk dat er nog een heleboel te doen is in de psychologie. Als ik niet zo druk bezig zou zijn met mijn criminele plannen, denk ik dat ik mijn energie zou wijden aan het rechtzetten van fouten die de heren Freud en Jung hebben gemaakt.

Wat vind je echt van kapitein Holly Short?
Ik heb enorm veel respect voor kapitein Short en ik hoop vaak dat ze naar mijn kant overloopt, als het ware. Maar ik weet dat ze dat nooit zal doen. Ze heeft te veel principes. En als ze die principes ooit zou kwijtraken, dan zou ik misschien mijn respect voor haar ook nog verliezen.

Je hebt heel veel gereisd. Wat is je favoriete plek ter wereld, en waarom?
Mijn favoriete plek ter wereld is Ierland. Zoals het Elfenvolk zegt: het is de meest magische plek. Het landschap is het meest inspirerend ter wereld. En de mensen zijn gevat en oprecht, hoewel we ook een donkere kant hebben.

Wat was je meest gênante moment?
Ik heb ooit een 9,9 voor wiskunde gehaald. Ik voelde me zo vernederd. Ik had het derde getal achter de komma niet afgerond. Zo gênant.

Wat is je favoriete boek?
Mijn favoriete boek deze week is *The Lord of the Flies*, door William Golding. Het is een fascinerende psychologische studie naar een groep jongens die is gestrand op een eiland. Het kan niet anders dat als ik op dat eiland was geweest, ik die hele tent binnen een week had gerund.

Wat is je favoriete liedje?

Ik luister bijna nooit naar populaire muziek, behalve naar David Bowie, die echt een kameleon is. Je weet nooit wat je moet verwachten. Ik vind Bowie een fascinerende persoon en ik zit erover te denken hem te benaderen met een plannetje om een verloren gegane opera van Mozart te zoeken, die ik uiteraard zelf heb geschreven. Mijn favoriete liedje van de heer Bowie is 'It's No Game, Part 2', van de cd *Scary Monsters*.

Wat houdt je 's nachts wakker?

Mijn plannetjes. Die blijven door mijn hoofd gaan en houden me wakker. Er is nog iets wat me wakker houdt. Soms voel ik me slecht over de dingen die ik heb gedaan. Als dit schuldgevoel toeslaat, kijk ik even online naar mijn banksaldo, en dan gaat het snel weg.

Wat is je meest geliefde bezit?

Mijn meest geliefde bezit is een schat aan elfBI-apparatuur die Butler in beslag heeft genomen van een Reddingsteam. Er zitten duizend uitvindingen in die geen mens ooit heeft gezien. Het is mijn pensioenfonds.

Wie is je beste vriend?

Ik dacht dat we hadden afgesproken dat die vraag niet zou worden gesteld. Als mijn vijanden er achter komen wie mijn beste vriend is, zouden ze hem of haar kunnen gebruiken om mij te pakken. Ik wil alleen maar zeggen dat mijn beste vriend nooit ver weg is en vanaf de dag dat ik werd geboren bij me is.

INTERVIEW MET KAPITEIN HOLLY SHORT

Vind je het erg dat je de enige vrouwelijke elf bij de elfBI bent?
Soms is het wel vervelend. Het zou leuk zijn om een vrouwelijke collega te hebben om aan het eind van een lange dienst mee te praten. In het begin maakten sommige mannelijke officieren het me wel moeilijk. Nu zijn ze te druk bezig mijn vliegrecords te breken om me te beledigen.

Op welk moment was je het trotst?
Dat was toen we de koboldrevolutie neersloegen. Als die geschubde boeven erin waren geslaagd Politie Plaza over te nemen, zou onze hele cultuur zijn vernietigd.

Wat was je meest gênante moment?
Ik ben een keer door een vloekpad in mijn achterste gebeten. We doorzochten een tunnel naar een schurkachtige trol en hij stak zijn kop uit een gat en nam een hap uit me. Het was maar een klein hapje, maar het gif heeft wel een zwelling veroorzaakt. Die dag zal ik nooit vergeten. Ik hoop alleen dat Artemis Fowl er nooit achter komt.

Je krijgt vaak problemen met commandant Root omdat je de regels niet volgt. Gebeurde dat op school ook?
Mijn vader heeft me altijd geleerd het juiste te doen, ongeacht de consequenties. En dat doe ik. Regels zijn belangrijk, maar het juiste doen is belangrijker. Soms ben ik daardoor op school in de problemen geraakt. Ik kan mijn mond niet houden als ik zie dat er iemand wordt gepest of onterecht wordt gestraft. Zo ben ik nu eenmaal.

Wat was je favoriete vak op school?
Ik vond de virtuele school geweldig. Dan zette je een VR-helm op en reisde door de geschiedenis. Die helmen zijn verbazingwekkend, ze hebben speciale luchtfilters zodat je de periode die je bestudeert ook kunt ruiken.

Wat vind je echt van Artemis Fowl?

Ik hink op twee gedachten over Artemis. De ene helft wil hem een knuffel geven en de andere helft wil hem een paar maanden in de cel gooien om hem een lesje te leren. Ondanks zijn hersens begrijpt Artemis de consequenties van zijn plannetjes niet. Iedere keer dat hij een avontuur begint, raakt er iemand gewond. En Butler zal er niet altijd zijn om hem te redden. En ik zal er niet altijd zijn om hem te redden.

Wat zijn je hobby's?

Ik lees veel. Voornamelijk de klassieken, Horrie Antowitz is een goede schrijver, en Burger Melviss ook. Ik houd van een goede thriller. Ik houd ook van kraakbal, wat ik in het politieteam speel. Ik ben de tweede dunker, wat veel van een meisje vraagt.

Wat is je meest geliefde bezit?

Ik heb nog steeds de elfBI-eikels die commandant Root zelf aan me heeft gegeven. Het maakt niet uit hoeveel medailles en promoties ik krijg, de eerste eikels zijn de beste.

Wat houdt je 's nachts wakker?

Soms lig ik 's nachts na te denken over wat de mensen de planeet aandoen. En ik vraag me af hoe lang het gaat duren voordat ze ons ontdekken. Sommige nachten ben ik een beetje paranoïde en zou ik zweren dat ik menselijke werktuigen boven mijn hoofd hoor. Gravend. Wroetend.

Wie is je beste vriend?

Dat is een moeilijke. Ik denk dat ik er twee moet noemen: Foaly en kapitein Trubbels Kelp. Ze hebben allebei mijn leven al meer dan een keer gered. En ze hebben me gesteund in moeilijke tijden, toen de rest me had afgeschreven als mislukkeling.

INTERVIEW MET BUTLER

Wat zijn je drie beste tips om een succesvolle lijfwacht te zijn?

Veel oefenen: er is geen vervanging voor kennis.

Luister naar je sensei: die heeft de ervaring die je nodig hebt.

Wees erop voorbereid om alles voor je baan op te offeren.

Je hebt een goede band met je zusje, Juliet. Was je blij dat ze in je voetsporen wilde treden, en denk je dat ze een goede lijfwacht zal worden?

Ik hoopte dat Juliet iets anders zou gaan doen. Juliet is zo levendig, dat moet ze niet verstikken in het uniform van een lijfwacht. Ik denk dat mijn zusje nog wel kan besluiten een minder gevaarlijk beroep te kiezen, zoals worstelen.

Wat is je meest geliefde bezit?

Mijn meest geliefde bezit is in mijn huid geëtst. Het is een tatoeage van een blauwe diamant, van de Academie voor Persoonsbescherming van Madame Ko. Ik ben de jongste die ooit aan de academie is afgestudeerd en deze tatoeages geven me toegang tot kringen waarvan de meeste mensen niet eens weten dat ze bestaan. Het is alsof je je cv op je arm hebt.

Wat is je favoriete boek?

Ik heb niet zo veel tijd om te lezen. Vanwege Artemis en zijn plannetjes moet ik altijd paraat staan. Het meest lees ik helikopterhandleidingen en ik houd het weerbericht en de actualiteiten in de gaten. Als ik een momentje voor mezelf heb, kan ik wel van een mooi romantisch verhaal genieten. Als je dat aan iemand vertelt, weet ik je te vinden.

Wat is je gelukkigste jeugdherinnering, en waarom?

Ik koester de herinnering aan de tijd als tiener toen ik mijn kleine zusje in haar box leerde hoe ze spinning kicks moest maken.

Wat is je favoriete liedje?

Ik vind de Ierse band U2 goed. Hun liedje 'I Still Haven't Found What I'm Looking For' zou voor meester Artemis geschreven kunnen zijn.

Wat is je favoriete film?

Ik houd niet van actiefilms, die doen me te veel aan mijn dagelijks leven denken. Een goede romantische komedie vind ik wel leuk. Die leidt me af van de stress van mijn baan. Mijn grote favoriet is *Some Like It Hot*.

Wat is je favoriete plek ter wereld, en waarom?

Mijn favoriete plek ter wereld is naast meester Artemis, waar dat ook is. Wat ik zeker weet is dat waar we ook zijn, het nooit saai is.

Lijfwachten moeten erg dapper zijn. Waar ben je bang voor?

Alle lijfwachten hebben dezelfde angst: we zijn bang om iets fout te doen. Als er iets met Artemis zou gebeuren en ik had het kunnen voorkomen, zou me dat de rest van mijn leven achtervolgen.

INTERVIEW MET
TURF GRAAFMANS

Heb je er ooit spijt van dat je de misdaad in bent gegaan?
Ik beschouw het niet als misdaad, ik beschouw het als herverdeling van rijkdom. Ik pak alleen terug van de mensen wat zij in eerste instantie van ons hebben gestolen. Dus nee, ik heb geen spijt van mijn criminele verleden, ik vind het alleen jammer dat ik gepakt ben. En trouwens, vanaf nu blijf ik op het rechte pad. Eerlijk waar.

Alle dwergen hebben veel last van winderigheid en dat kan voor een Moddermens gênant zijn. Wat was je meest gênante moment?
Dwergen hebben inderdaad last van winderigheid, wat op zich niet gênant is, het is alleen maar natuurlijk. Maar in mijn beroep kunnen harde winden de boel een beetje verzieken. Op een keer had ik bijna de grote hal van het Louvre bereikt toen een uitzonderlijk harde wind de bewegingssensors in werking stelde. Daar hebben ze in de Atlantisgevangenis nog jarenlang pret om gehad.

Wat maakt je het gelukkigst?
Dwergen zijn het gelukkigst wanneer ze een tunnel graven. Zodra we die eerste hap aarde nemen, voelen we ons thuis en veilig. Ik denk zelfs dat de dwerg als soort dichter bij de mol staat dan bij de mens.

Op welk moment was je het trotst?
Ik was erg trots toen ik eigenhandig Artemis en Holly van een zekere dood heb gered tijdens de Elf Wonderen in de Lagere Elementen, maar daar kan ik je nog niet veel over vertellen, omdat dat avontuur nog aan de oppervlakte moet komen.

Je bent tijdens je avonturen met Artemis Fowl vaak in netelige situaties terechtgekomen. Op welk moment was je het bangst?
Ik moet toegeven dat ik doodsbang was toen ik net onder Huize Fowl in mijn

tunnel was gedoken en Butler me bij mijn enkels greep. Geloof me, je zit er niet op te wachten dat een razende Butler je ergens mee naar toe sleept. Het moge duidelijk zijn dat dit is voorgevallen voordat we vrienden waren geworden.

Wat denk je echt van Artemis Fowl en Butler?
Ik ben dol op dat Ierse joch. Echt waar. We hebben dezelfde interesse: goud. We hebben samengewerkt aan het Fei Fei-project en ik voorzie een lange samenwerking.

Kapitein Holly Short, commandant Julius Root of Foaly: op wie ben je het meest gesteld en waarom?
Niet Julius, dat lijkt me wel duidelijk. Ik heb respect voor hem, maar op hem gesteld? Ik denk niet dat iemand Julius echt aardig vindt, behalve zijn officieren, die zouden voor hem willen sterven. Geen idee waarom. Ik moet zeggen dat Holly mijn favoriet is. Ze heeft al een paar keer mijn harige achterste gered, maar dat is het niet alleen. Holly is een zeldzaam wezen: een loyale vriend. En die kom je niet vaak tegen.

Wat voor advies zou je aan een jonge dwerg geven?
Ten eerste: kauw je rotsen voordat je ze doorslikt. Zo verteer je ze veel makkelijker en zo worden je tanden goed geslepen. En ten tweede: eet nooit twee keer dezelfde grond als je dat kan vermijden.

Wat is je favoriete plek boven of onder de grond, en waarom?
Er is een veld in Kerry, Ierland, waar de grond puur en niet vervuild is. Ik vind het heerlijk om daar een gaatje te graven van ongeveer zeven meter diep en dan te liggen luisteren naar de zee die twee velden verderop tegen de rotsen beukt.

INTERVIEW MET FOALY

Op welke uitvinding ben je het trotst?

Het is moeilijk om er één uitvinding uit te pikken, ik heb meer octrooien aangevraagd dan welke elf in de geschiedenis ook. Als ik er één moet uitkiezen, zou ik de tijdsstoptorens kiezen: een set van vijf draagbare torens waardoor de elfBI-agenten de tijdsstopvaardigheden van diverse tovenaars in een accu kunnen stoppen, waarna ze dan hun eigen tijdsstop kunnen genereren waar ze maar willen. Ingenieus, al zeg ik het zelf. Deze torentjes hebben ons al vaak uit een netelige situatie gered, waaronder de belegering van Huize Fowl.

Wie of wat inspireert je?

Ik moet toegeven dat ik vaak mijn eigen artikelen in wetenschappelijke tijdschriften lees en mezelf zo inspireer. Maar naast mezelf is mijn grootste inspiratie de elf Opal Koboi. Opal is ontoerekeningsvatbaar, maar ze is bouwkundig en economisch zeer goed onderlegd. Haar DubbelDeks vleugelontwerp heeft het solovliegen enorm vooruit geholpen en iedere keer dat ze vooruitgang boekte, heeft dat mij aangespoord deze te verbeteren.

Wat is je top drie van tips om een uitvinder te worden?

Vind dingen uit die mensen ook echt willen. Spreek er niet over tot je je uitvinding kunt patenteren en draag altijd een muts van aluminiumfolie om te voorkomen dat je gedachten worden gelezen. Stralen die dat kunnen zijn nog niet uitgevonden, maar je weet maar nooit.

Wat zijn je hobby's?

Wanneer ik niet in het laboratorium ben, lees ik graag artikelen over mij of bekijk ik opnamen van mijn toespraken tijdens wetenschappelijke conferenties. Ik ben ook net begonnen met linedancing.

Wat is je favoriete herinnering?

Ik herinner me het precieze moment dat mijn snelle denken een einde heeft gemaakt aan de koboldrevolutie. Als ik er niet geweest was, zou iedereen in Politie Plaza nu twee keer per jaar vervellen. Maar heb ik een medaille gekregen? Is er een standbeeld op het plein neergezet? Nee. Wat een dankbaarheid.

Wat was je favoriete vak op school, behalve natuurkunde?

Ik beschouwde mezelf een beetje als een kunstenaar. Ik ben ervan af gestapt toen mijn tekenleraar me vertelde dat mijn landschappen vlakker waren dan een gestreken velletje rijstpapier. Ik neem aan dat dat niet goed was. Ik was helemaal van slag en heb nooit meer een penseel aangeraakt.

Wat houdt je 's nachts wakker?

Mijn ideeën houden me wakker, net zoals de gedachte dat iemand anders eerder een octrooi aanvraagt dan ik. Naast mijn bed staat een ingeschakelde computer, voor het geval ik tijdens mijn halfslaap iets bedenk.

Meest geliefde bezit?

Ik heb een hele collectie mutsen van aluminiumfolie. Een voor iedere gelegenheid. Ik heb iemand gevonden die mijn mutsen decoreert met ingewikkelde ontwerpen. Vorige week zag ik twee andere technici die ook mutsen van aluminiumfolie droegen. Misschien heb ik wel een trend gezet.

Welk Moddermens bewonder je het meest?

Ik bewonder de Siciliaanse milieubeschermer Giovanni Zito. Hij is een van de weinige mensen die echt probeert van de wereld een betere plek te maken. Als de rest van de wereld zijn technologie voor solaire windboerderijen overnam, zou over tien jaar de uitstoot van schadelijke gassen met zeventig procent zijn afgenomen. Zito had de hersens van Artemis Fowl moeten hebben.

Wie is je beste vriend?

Mijn beste vriend onder deze Aarde is de elf Holly Short. We zijn allebei workaholic en zien elkaar dus niet zoveel als we zouden willen, maar op de een of andere manier maakt ze altijd tijd voor me vrij, vooral wanneer ik een beetje depressief word van mijn werk. Wanneer ik op het punt sta een computer kapot te slaan uit frustratie, staat Holly naast me met een wortel te zwaaien. Het is een bijzondere elf.

İNTERVİEW MET
JULİUS ROOT

Waarom maak je het kapitein Holly Short moeilijker dan andere elfBI-officieren? En waarom was je er zo op tegen dat vrouwelijke officieren bij de elfBI zouden komen?

Ik was niet tegen vrouwelijke elfBI-officieren op zich, ik twijfelde er alleen aan of ze aan de eisen konden voldoen. Gelukkig heeft Holly aangetoond dat ik me vergiste, en nu zijn er nog zes andere vrouwelijke kandidaten voor de elfBI. Ik heb het Holly moeilijk gemaakt omdat ik het psychologische verslag over haar had gelezen, en zo wist ik dat mijn houding ervoor zou zorgen dat ze nog vastbeslotener was om de inwijding te behalen. Uiteraard had ik gelijk.

Op welk moment was je het trotst?

Dat was toen kapitein Short de koboldopstand neersloeg. Ik had mijn hoop op die elf gevestigd en ze heeft me niet teleurgesteld.

Om wat moet je hardop lachen?

Om niets. Ik glimlach zelden, grinnik bijna nooit en ik heb in geen 200 jaar hardop gelachen. Het is niet goed voor de discipline en als iemand zegt dat hij me hardop heeft horen lachen, wil ik diens naam en rang.

Jij en Foaly lijken een haat/liefdeverhouding met elkaar te hebben. Wat vind je echt van hem?

Haat/liefde? Je hebt voor de helft gelijk. Het grootste deel van de tijd wil ik die zelfingenomen centaur mijn gebouw uit smijten. Maar ik moet toegeven, zij het met tegenzin, dat zijn apparaatjes soms wel handig zijn. Als dat niet zo zou zijn, zou hij al heel snel geen baan meer hebben.

Wat is je top drie van tips om een goede elfBI-officier te zijn?

Een: luister naar je commandant, hij heeft altijd gelijk.

Twee: negeer al je voorgevoelens, tenzij die zijn geopperd door je commandant, die altijd gelijk heeft.

Drie: als je twijfelt, neem dan contact op met je commandant. Die heeft altijd gelijk.

Als je geen elfBI-commandant zou zijn geweest, wat had je dan willen worden?

Ik stelde mezelf altijd voor als hovenier, of als mimespeler. Ben je gek? De elfBI is de enige baan voor me. Als die niet had bestaan, had ik hem zelf uitgevonden.

Wat was je favoriete vak op school, en waarom?

Ik vond geschiedenis altijd leuk, en dan vooral militaire tactieken. Toen ik zes was, wist ik precies wat koning Frond had moeten doen bij de Slag om Ochre Stew. Als ik zijn strateeg was geweest, had zijn dynastie nog eeuwen bestaan.

Trubbels Kelp of Holly Short? Wie is volgens jou de beste elfBI-officier?

Trubbels is betrouwbaarder, maar Holly is instinctiever. Als ik in een duivelse val zou zitten, zou ik willen dat Trubbels de val opspoorde en dat Holly me eruit bevrijdde.

Denk je dat het Moddervolk en de elfen ooit in harmonie zouden kunnen samenleven?

Ik betwijfel het. Het Moddervolk kan nog niet eens in harmonie met zichzelf leven. Hoewel ik moet toegeven dat uit onze surveillance blijkt dat de laatste paar jaar de jongere generaties een heel andere instelling hebben. Ze houden minder van oorlog en begrijpen elkaar meer. Dus misschien is er toch nog een beetje hoop.

INTERVIEW MET EOIN COLFER

Wat is je favoriete boek?
Stig of the Dump.

Wat is je favoriete liedje?
'The Great Beyond' van REM.

Wat is je favoriete film?
The Silence of the Lambs.

Wat is je meest favoriete bezit?
Mijn boeken.

Wanneer ben je begonnen met schrijven?
Mijn eerste echte poging was al in groep zes. Ik heb toen voor de hele klas een toneel-stuk over Noordse goden geschreven. Aan het eind ging iedereen dood behalve ik.

Waar doe je je ideeën en inspiratie op?
Inspiratie komt uit ervaring. Mijn fantasie is als een ketel waarin alle dingen die ik heb gezien en alle plekken die ik heb bezocht, liggen te bubbelen. Mijn hersens mengen dat allemaal door elkaar en brengen het weer naar buiten op een naar ik hoop originele manier.

Kun je een top drie van tips geven hoe je een succesvol schrijver wordt?
1. Oefenen. Schrijf iedere dag, al is het maar tien minuten. Onthoud dat niets voor niets is. Uiteindelijk zal je stijl naar boven komen. Zet door!
2. Lever je manuscript niet in voordat het zo goed is als je het kan maken. Redigeer! Snijd! Hak! Vertrouw je redacteur.
3. Zorg voor een goede agent. Die zoekt een uitgever die bij je past.

Wat is je favoriete herinnering?

Een van mijn favoriete herinneringen is die van mijn trouwdag, toen mijn vrouw en haar drie zussen in een rij een geïmproviseerde Ierse dans deden, een voor-loper van Riverdance.

Wat is je favoriete plek ter wereld en waarom?

Slade, een klein vissersdorp in Ierland. Daar heb ik in mijn jeugd al vissend mijn vakanties doorgebracht, en nu ga ik er met mijn eigen zoon naar toe.

Wat zijn je hobby's?

Mijn grootste hobby is lezen, ik lees zelfs de etiketten op potten! Ook houd ik van toneel, ik heb een paar toneelstukken geschreven. Ik ben ook net begonnen met parachutespringen!

Als je geen schrijver was geweest, wat was je dan waarschijnlijk geworden?

Als ik geen schrijver was geworden, denk ik dat ik leraar op een basisschool was geworden. Kinderen zijn een grote inspiratiebron.

St.-Bartleby School voor Jongeheren

Jaarrapport

Leerling:	Artemis Fowl II
Jaar:	1
Schoolgeld:	Betaald
Leraar:	Dr. Po

Taal

Voor zover ik het kan zien, heeft Artemis totaal geen vooruitgang geboekt sinds het begin van het jaar. Dit komt omdat zijn vaardigheden ver buiten mijn ervaring liggen. Hij onthoudt en begrijpt Shakespeare nadat hij die één keer heeft gelezen. Hij vindt fouten in iedere opdracht die ik geef en zit zachtjes te grinniken als ik wat ingewikkeldere teksten probeer uit te leggen. Volgend jaar geef ik hem zijn zin en mag hij tijdens mijn les naar de bibliotheek.

Wiskunde

Artemis haalt me het bloed onder de nagels vandaan. De ene dag beantwoordt hij al mijn vragen juist en de volgende dag is ieder antwoord fout. Hij noemt dit een voorbeeld van de chaostheorie en zegt dat hij me alleen maar op de echte wereld probeert voor te berei-den. Hij vindt het idee van oneindigheid belachelijk. Eerlijk gezegd ben ik niet opgeleid om met een jongen als Artemis om te gaan. De meeste leerlingen kunnen amper tellen zonder hun vingers te gebruiken. Helaas kan ik Artemis niets meer over wiskunde leren, maar iemand zou hem wel eens manieren moeten bijbrengen.

Geschiedenis

Artemis wantrouwt alle geschiedenisteksten, want hij zegt dat de geschiedenis wordt geschreven door de overwinnaars. Hij geeft de voorkeur aan levende geschiedenis, waarbij de overlevenden van bepaalde gebeurtenissen echt kunnen worden geïnterviewd. Het is duidelijk dat het bestuderen van de Middeleeuwen dan wat lastig wordt. Artemis heeft gevraagd of hij volgend jaar tijdens de les een tijdmachine mag bouwen zodat de hele klas middeleeuws Ierland met zijn eigen ogen kan zien. Ik heb toestemming gegeven en het zou me niets verbazen als het hem zou lukken..

Natuur- en scheikunde

Artemis ziet zichzelf niet als leerling, eerder als iemand die niet in wetenschappelijke theorieën kan worden gevangen. Hij blijft volhouden dat er aan het periodiek systeem een paar elementen ontbreken en dat de relativiteitstheorie op papier goed en wel is, maar dat die in de echte wereld niet overeind blijft omdat de ruimte desintegreert vóór de tijd. Ik heb een keer de fout gemaakt met hem in discussie te gaan, en de jonge Artemis kreeg me in een paar seconden bijna aan het huilen. Artemis heeft toestemming gevraagd om de volgende periode op school foutenanalysen uit te voeren. Die toestemming heb ik wel moeten geven, want ik ben bang dat hij niets meer van me kan leren.

Sociale en persoonlijke ontwikkeling

Artemis is heel scherpzinnig en extreem intellectueel. Hij beantwoordt de vragen van iedere psychologische test perfect, maar dat komt omdat hij de perfecte antwoorden kent. Ik ben bang dat Artemis de andere jongens te kinderachtig vindt. Hij weigert met hen om te gaan en werkt in tussenuren liever aan al zijn projecten. Hoe meer hij alleen werkt, hoe geïsoleerder hij raakt en als hij zijn gewoonten niet snel verandert, zal hij zichzelf volledig afsluiten van iedereen die zijn vriend wil zijn, en uiteindelijk ook van zijn familie. Moet beter zijn best doen.

ELFENQUIZ

Doe deze eenvoudige test om te zien of je elfenvoorouders hebt.

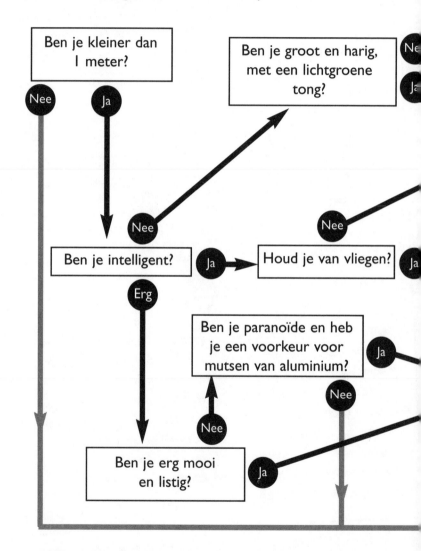

Ben je kleiner dan
1 meter?

Nee   Ja

Ben je groot en harig,
met een lichtgroene
tong?

Nee   Ja

Nee

Nee

Ben je intelligent?   Ja →   Houd je van vliegen?   Ja

Erg

Ben je paranoïde en heb
je een voorkeur voor
mutsen van aluminium?   Ja

Nee

Nee

Ben je erg mooi
en listig?   Ja

Heb je last van droge ogen en een geschubde huid? — **Ja** →

KOBOLD
Probeer de verleiding te weerstaan om aan je ogen te likken. Oogdruppels werken veel beter.

Heb je last van droge ogen en een geschubde huid? — **Nee** →

TROL
Dat is pech, maar je wordt niet gepest.

Heb je last van winderigheid en kun je je kaak los-scharnieren? — **Ja** →

DWERG
Waarschijnlijk ben je heel populair en je vrienden ruiken in het donker waar je bent.

Ben je heel loyaal, heb je een sterk gevoel van goed en kwaad en heb je puntige oren? — **Ja** →

ELF
Je bent populair en je bent een loyale vriend. Probeer om ook een beetje plezier te hebben!

109

Heb je vleugels? — **Ja** →

VLEUGELELF
Probeer niet zonder vliegtuig of parachute te vliegen, anders trek je waarschijnlijk heel erg de aandacht.

CENTAUR
Wees aardig. En bedenk: niet iedereen is even briljant als jij en niet iedereen probeert je werk te kopiëren.

MENSELIJK
Je bent bijna zeker door en door menselijk.

Er zijn veel ver-
momde shuttle-
havens over de
hele wereld, waar
de elfen tussen
de mensen
komen en gaan.
Die lokaties zijn
een goed
bewaard geheim.
Tot nu toe kent
Artemis Fowl de
lokatie van
slechts een paar
havens.

110

A Tara, Ierland

B Moermansk,
   Noord Rusland

C Martina Franca,
   Italië

D Wajir, Kenia

E Los Angeles, VS

F Stonehenge,
   Groot-Brittannië

G Parijs, Frankrijk

A   B   C

FOALY'S UITVINDINGEN

Titanium capsule: brengt elfBI-officieren naar de oppervlakte van de Aarde, ofwel op de kracht van zijn eigen motor, of door op de stromen heet gas te rijden die door magmastoten worden gecreëerd.

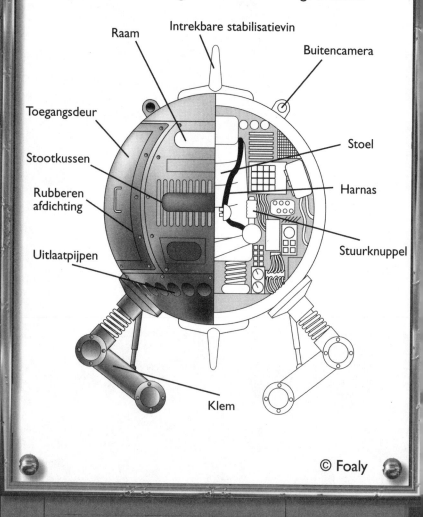

Raam

Intrekbare stabilisatievin

Buitencamera

Toegangsdeur

Stootkussen

Rubberen afdichting

Uitlaatpijpen

Stoel

Harnas

Stuurknuppel

Klem

© Foaly

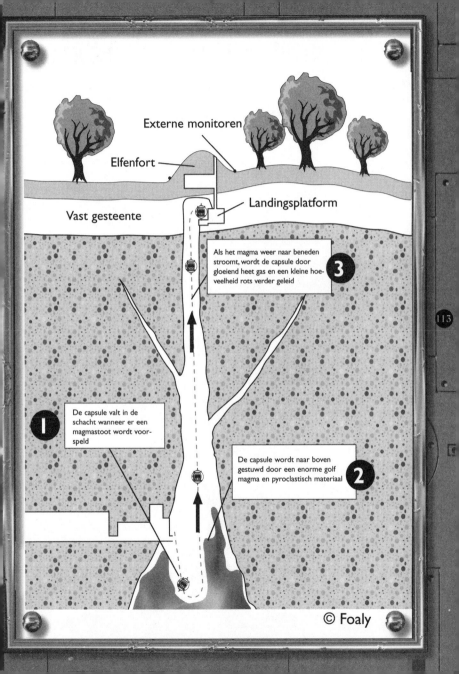

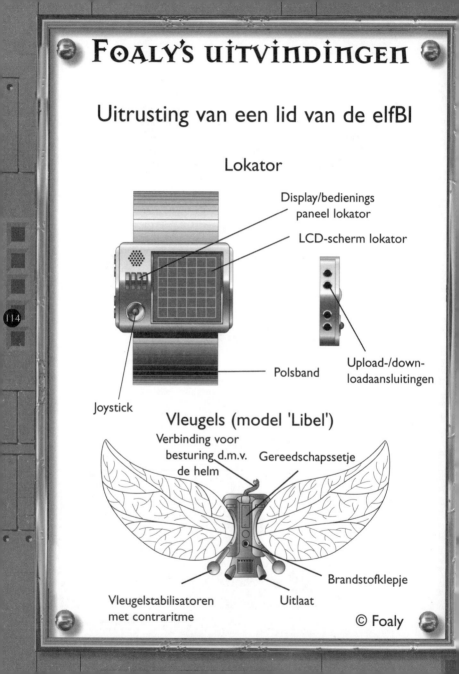

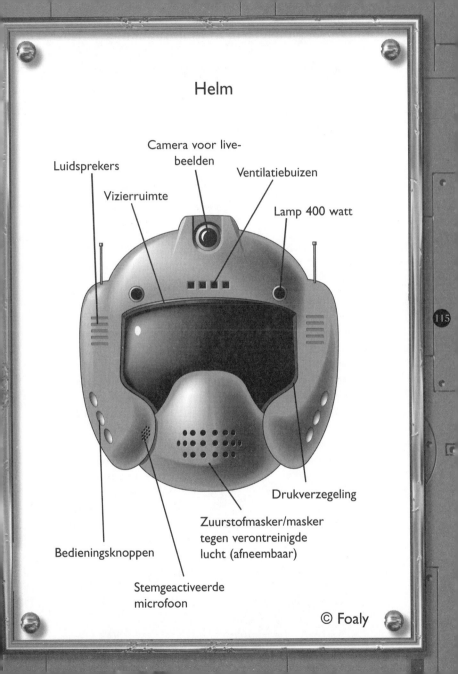

Helm

Camera voor live-beelden

Luidsprekers

Ventilatiebuizen

Vizierruimte

Lamp 400 watt

Drukverzegeling

Zuurstofmasker/masker tegen verontreinigde lucht (afneembaar)

Bedieningsknoppen

Stemgeactiveerde microfoon

© Foaly

KRUISWOORDRAADSEL

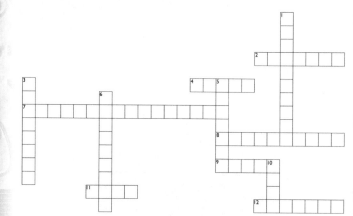

Horizontaal

2 Voornaam van Butler

4 Briljante, maar paranoïde uitvinder

7 De afdeling waar Holly nadat ze haar inwijding had behaald, is gaan werken

8 De naam die elfen aan de mensen geven

9 De achternaam van de enige vrouwelijke elfBl-officier

11 Voornaam van de norse dwerg die Turnball Root bij zijn plannetjes helpt

12 Wat Holly heel leuk vindt, met behulp van Foaly's laatste ontwerp

Verticaal

1 Dit steekt commandant Root nog wel eens op

3 De taal van de elfen

5 De naam van zowel een godin als een jong crimineel genie

6 De bijnaam van commandant Root

10 Waarschijnlijk het meest gevaarlijke wezen, zoals Butler ondervond in Artemis Fowl

ELFENWOORDZOEKER

Zoek de twaalf verborgen woorden. Ze kunnen van links naar
rechts zijn geschreven, van rechts naar links, van boven naar
beneden, van beneden naar boven en diagonaal.

t	r	h	e	t	r	i	t	u	e	e	l
i	e	o	o	w	x	a	h	e	h	r	s
j	l	b	c	t	r	o	l	e	i	n	d
d	t	h	n	a	t	l	a	n	t	i	s
s	u	e	l	g	e	v	q	k	y	l	m
s	b	d	l	o	b	o	k	e	e	u	w
t	p	q	r	u	a	z	e	g	a	r	e
o	d	e	m	d	b	y	u	i	o	g	u
p	o	l	i	t	i	e	p	l	a	z	a
v	y	f	o	e	l	c	l	k	t	c	e
z	x	a	v	v	i	b	f	l	e	v	n

117

ATLANTIS	GOUD	TARA
BUTLER	HET RITUEEL	TIJDSSTOP
ELF	KOBOLD	TROL
ELFBI	POLITIE PLAZA	VLEUGEL

Dit gedeelte van het elfBI-dossier over Artemis Fowl is verzegeld en mag niet worden ingezien door iemand zonder beveiligingsniveau alfa+. De Fei Fei-zaak speelde kort na het eerste contact tussen het Volk en Artemis Fowl. Op dit moment was Artemis' moeder genezen door elfBI-kapitein Holly Short, maar zijn vader was nog steeds vermist in Noord-Rusland. Er werd aangenomen dat hij dood was.

Hoofdstuk I: **LADY FEI FEI'S TIARA**

Onder het Fleursheim Plaza, Manhattan, New York City

 Dwergen graven tunnels. Daarvoor zijn ze geboren. Hun lichamen hebben zich in de loop van miljoenen jaren aangepast zodat ze efficiënte tunnelgravers zijn geworden. De kaak van een mannelijke dwerg kan worden opengescharnierd zodat hij met zijn mond een tunnel kan graven. Het afval komt er aan de achterkant weer uit om ruimte te maken voor de volgende mondvol.

De dwerg waar het ons hier om gaat is de beruchte elfenmisdadiger Turf Graafmans. Turf vond dat inbreken beter bij zijn persoonlijkheid paste dan werken in de mijnbouw. Hij had kortere werkdagen, liep minder ernstige risico's en de waardevolle metalen en stenen die hij van het Moddervolk stal, waren al bewerkt, gesmeed en gepolijst.

Het doel van die avond was de tiara van Lady Fei Fei,

een legendarische Chinese diplomate. De tiara was een meesterwerk, een ingewikkelde bewerking van jade en diamant in een witgouden zetting. Hij was onbetaalbaar, hoewel Turf hem voor veel minder zou verkopen.

De tiara reisde op het moment rond als belangrijkste stuk van een Aziatische kunsttentoonstelling. Op de avond waarop ons verhaal begint, lag hij in het Fleursheim Plaza, op weg naar het Metropolitan Museum. Voor een nacht was Fei Fei's tiara kwetsbaar en Turf was niet van plan zijn kans te missen.

Ongelooflijk genoeg was het verslag van het oorspronkelijke geologische onderzoek voor het Fleursheim Plaza beschikbaar op het internet, zodat Turf zijn route kon bepalen vanaf de comfortabele East Village, waar hij zich schuilhield. De dwerg ontdekte tot zijn vreugde dat er een smalle strook compacte klei en losse schalie omhoog liep tot aan de muur van de kelder. De kelder waar de Fei Fei-tiara was opgeborgen.

Op dit ogenblik sloot Turf zijn kaken om tweeënhalve kilo aarde per seconde, terwijl hij zich een weg naar de kelder van het Fleursheim groef. Zijn haar en baard leken op een onder spanning staande halo, omdat iedere gevoelige haar de oppervlakte aftastte naar trillingen.

Het was geen slechte klei, mijmerde Turf tijdens het

slikken, terwijl hij oppervlakkig door zijn neus ademde. Ademen en slikken tegelijk is een vaardigheid die de meeste wezens niet meer kunnen als ze eenmaal geen baby meer zijn, maar voor dwergen is het essentieel om te kunnen overleven.

Turf's baardharen namen waar dat er dichtbij iets trilde: het voortdurende gedreun dat normaal gesproken op air-conditioning-units of een generator wijst. Dat hoefde niet te betekenen dat hij dichterbij zijn doel kwam. Maar Turf Graafmans had het beste interne kompas in de hele branche en hij had de precieze coördinaten in de gestolen elfBI-helm in zijn knapzak geprogrammeerd. Turf pauzeer-de lang genoeg om het driedimensionale coördinatenstel-sel in het vizier van de helm te controleren. De kelder van het Fleursheim lag achtenveertig graden noordoost, tien meter boven zijn huidige positie. Een kwestie van secon-den voor een tunneldwerg van zijn kaliber.

Turf begon weer te kauwen en boorde zich door de klei als een elfentorpedo. Hij zorgde ervoor dat hij alleen klei uitscheidde aan de achterkant, geen lucht. Hij zou de lucht nog nodig kunnen hebben als hij een obstakel tegenkwam. Een paar seconden later kwam hij de hin-dernis tegen waarvoor hij de lucht had opgespaard. Zijn schedel stootte tegen vijftien centimeter cement van de kelder aan. Dwergenschedels zijn hard, maar ze kunnen geen vijftien centimeter beton vermorzelen.

'D'Arvit!' vloekte Turf, terwijl hij met lange dwergen-wimpers flinters beton uit zijn ogen knipperde. Hij reikte omhoog en klopte met een knokkel tegen het vlakke oppervlak.

'Twaalf tot vijftien centimeter denk ik,' zei hij tegen niemand, tenminste, dat dacht hij. 'Dat zou geen probleem moeten zijn.'

Turf ging iets naar achteren, waarbij hij de aarde achter hem aanstampte. Hij stond op het punt een manoeuvre uit te voeren die in de dwergencultuur bekendstaat als de *cycloon*. Deze werd over het algemeen toegepast in nood of om indruk te maken op vrouwelijke dwergen. Hij ramde de onbreekbare elfBI-helm op zijn woeste haar en trok zijn knieën op tot zijn kin.

'Ik wilde dat jullie dit konden zien, dames,' mompelde hij, terwijl hij de gasdruk in zijn ingewanden opbouwde. De laatste paar minuten had hij heel veel lucht ingeslikt en nu smolten de afzonderlijke bellen samen om een moeilijk te bedwingen luchtdrukkolom te vormen.

'Nog een paar seconden,' gromde Turf, terwijl de druk een blosje op zijn wangen bracht.

Turf kruiste zijn armen over zijn borst, trok zijn baard-

haar in en liet de opgekropte wind gaan.

Het resultaat was spectaculair en als er iemand was geweest die het had gezien, had Turf een vriendin voor het uitkiezen gehad. Als je je voorstelt dat de tunnel de hals van een champagnefles was, dan was Turf de kurk. Hij schoot door de gang met bijna tweehonderd kilometer per uur, draaiend als een tol. Als bot tegen beton aankomt, wint normaal gesproken het beton, maar Turf's hoofd werd beschermd door een gestolen elfBI-helm. Die helmen zijn gemaakt van bijna onverwoestbaar polymeer.

Turf beukte door de vloer van de kelder in een werveling van betonstof en rondtollende ledematen. Door de straalstroom werd het stof opgezweept in tien miniwervelwinden. Door zijn momentum vloog hij twee meter de lucht in voordat hij op de vloer smakte, waar hij hijgend bleef liggen. De cycloon had hem wel wat gekost. Wie zei dat misdaad eenvoudig was?

Na een korte adempauze ging Turf zitten en scharnierde hij zijn kaak weer vast. Hij wilde nog wel wat langer rusten, maar nu konden er camera's op hem gericht zijn. Er zat waarschijnlijk een vervormer in de helm, maar techniek was nooit zijn sterkste punt geweest. Hij moest de tiara jatten en onder de grond vluchten.

Hij stond op, schudde een paar klontjes klei van zijn

bilflap en wierp een blik rond. Er waren geen knipperende rode lichtjes die erop wezen dat er bewakingscamera's hingen. Er waren geen kluisjes voor waardevolle spulletjes. Er was zelfs niet eens een veiligheidsdeur. Het leek een vreemde plaats om een onbetaalbare tiara te bewaren, zelfs al was het maar voor een nacht. Mensen waren geneigd hun waardevolle dingen te beschermen, zeker tegen andere mensen.

Hij zag iets flikkeren in het donker. Iets wat het heel kleine beetje licht in de kelder opving en reflecteerde. Er stond een sokkel tussen de standbeelden, kratten en miniwolkenkrabbers van opgestapelde stoelen. En boven op de sokkel lag de tiara. De spectaculair blauwe diamant in het midden glinsterde in de zelfs bijna volledige duisternis.

Turf boerde van verrassing. Hadden de Moddermensen de tiara open en bloot laten liggen? Dat was niet waarschijnlijk. Het moest een valstrik zijn.

Hij liep voorzichtig naar de sokkel, gespitst op valstrikken op de grond. Maar er was niets, geen bewegingssensoren, geen laserstralen. Niets. Turf's instinct riep dat hij moest vluchten, maar zijn nieuwsgierigheid trok hem naar de tiara als een zwaardvis die aan een vislijn hing.

'Sukkel,' zei hij tegen zichzelf, of liever gezegd: dacht

hij. 'Ga weg nu het nog kan. Hier kan niets goeds van komen.' Maar de tiara was prachtig. Hypnotiserend.

Turf negeerde zijn voorgevoel over de situatie en bewonderde het met juwelen versierde stuk voor hem.

'Niet slecht,' zei hij, of was het dat toch? De dwerg kwam nog wat dichterbij.

De stenen glansden onnatuurlijk. Olieachtig. Niet zuiver, zoals echte edelstenen. En het goud glansde te veel. Het zou een mensenoog niet opvallen. Maar goud is een dwerg zijn leven. Het zit hem in het bloed en zijn dromen.

Turf tilde de tiara op. Hij was te licht. Een tiara van deze grootte zou minstens een kilo moeten wegen.

Hij kon twee conclusies uit dit alles trekken. Of dit was een afleidingsmanoeuvre en de echte tiara was veilig ergens anders opgeborgen, of dit was een test waarvoor hij hiernaar toe was gelokt. Maar door wie? En waarvoor?

Deze vragen werden bijna onmiddellijk beantwoord. In het donker ging er een reusachtige Egyptische sarcofaag open, waar twee figuren uitkwamen die absoluut geen mummie waren.

'Gefeliciteerd, Turf Graafmans,' zei de eerste, een bleke jongen met donker haar. Turf zag dat hij een nachtkijker op had. De andere was een reusachtige lijfwacht die Turf nog maar zo kort geleden had vernederd dat het nog pijn deed. De naam van de man was Butler en hij leek niet in een goed humeur te zijn.

'Je hebt mijn test gehaald,' ging de jongen door, met zelfverzekerde stem. Hij trok de kreukels uit zijn jasje en stapte uit de sarcofaag, waarbij hij zijn hand uitstak.

'Aangenaam u te ontmoeten. Meneer Graafmans, ik ben uw nieuwe zakenpartner. Ik zal me even voorstellen. Mijn naam is…'

Turf schudde zijn hand. Hij wist wie de jongen was. Ze hadden eerder met elkaar gevochten, alleen niet in levenden lijve. Hij was de enige mens die ooit elfengoud had gestolen en erin was geslaagd het te houden. Wat hij ook te zeggen had, Turf wist zeker dat het interessant zou zijn.

'Ik weet wie je bent, Modderjongen,' zei de dwerg. 'Jouw naam is Artemis Fowl.'

HOOFDSTUK 2: **HOGE PRIORITEIT**

Politie Plaza, Haven-Stad, De Lagere Elementen

 Toen Turf Graafmans de naam 'Artemis Fowl' zei, werd het dossier van de Modderjongen automatisch op de 'hete' stapel in Politie Plaza gelegd. Iedere elfen-elfBI-helm was uitgerust met een satelliettraceerder en kon overal ter wereld worden gelokaliseerd. Ook hadden ze stemgeactiveerde microfoons, dus alles wat Turf zei, werd opgevangen door een politiefunctionaris. De zaak werd onmiddellijk verwijderd uit de desktop van de functionaris toen Artemis' naam werd genoemd. Artemis Fowl was elfenvijand nummer een, en alles wat betrekking had op de jongen werd onmiddellijk naar de technische adviseur van de elfBI gestuurd, de centaur Foaly.

Foaly luisterde naar het live gesprek via Turf's helm en galoppeerde het kantoor van elfBI-commandant Root binnen.

'We hebben hier iets, Julius. Het kan belangrijk zijn.'

Commandant Julius Root keek op van de zwamsigaar waar hij het puntje vanaf knipte. De elf zag er niet gelukkig uit, maar dat deed hij zelden. Zijn teint was niet zo rozig als normaal, maar de centaur had het gevoel dat dat zo zou veranderen.

'Even wat goede raad, ponyjongen,' snauwde Root, die het topje van de sigaar trok. 'Ten eerste, je noemt me geen Julius. En ten tweede, er is een protocol over hoe mij aan te spreken. Ik ben de commandant hier, niet een van je polomaatjes.'

Hij leunde achterover in zijn stoel en stak de sigaar op. Foaly was niet onder de indruk van al dit vertoon.

'Wat je wilt. Dit is belangrijk. De naam Artemis Fowl is binnengekomen in een geluidsbestand.'

Root ging abrupt rechtop zitten, het protocol vergeten. Nog geen jaar geleden had Artemis Fowl een van zijn kapiteins ontvoerd en hun een halve ton goud uit het elfBI-losgeldfonds afgeperst. Maar belangrijker dan het goud was de kennis in het hoofd van de Ierse jongen. Hij wist van het bestaan van het Volk en zou kunnen besluiten opnieuw van hen te profiteren.

'Praat eens wat sneller, Foaly. Geen jargon, alleen Gnomisch.'

Foaly zuchtte. De helft van de lol van belangrijk nieuws

leveren, was uitleggen hoe hij met zijn technologieën het nieuws had verzameld.

'Oké. Ik denk dat Fowl op een of andere manier een elfBI-helm te pakken heeft gekregen. Je weet dat er ieder jaar een bepaalde hoeveelheid elfBI-spullen zoekraakt.'

'Daarom kunnen we ze op afstand vernietigen.'

'In de meeste gevallen wel, ja.'

De wangen van de commandant werden rood van kwaadheid. 'De meeste gevallen, Foaly? Je hebt nooit iets gezegd over ''de meeste gevallen'' tijdens de budgetbespreking.'

Foaly hief zijn handen in overgave. 'Hé, probeer jij die helm maar eens op afstand te vernietigen, als je wilt. Kijk maar wat er gebeurt.'

De commandant keek hem achterdochtig aan. 'En waarom zou ik dat knopje niet nu meteen indrukken?'

'Omdat de zelfvernietiger is uitgeschakeld, wat betekent dat een slim iemand hem te pakken heeft gekregen. Eerst was de helm actief, wat betekent dat iemand hem droeg. We konden het risico niet lopen het hoofd van een elf eraf te blazen, ook al is hij of zij een crimineel.'

Root kauwde op het uiteinde van zijn sigaar. 'Ik ben er toe in staat, geloof me. Waar is deze helm vandaan gekomen? En wie draagt hem?'

Foaly keek in een computerbestand in de communicatiekaart in zijn handpalm. 'Het is een oud model. Ik denk dat een heler aan de oppervlakte hem aan een schurkachtige dwerg heeft verkocht.'

Root verkruimelde zijn sigaar in een asbak. 'Dwergen. Als ze niet in beschermde gebieden een mijn aanleggen, dan stelen ze wel van mensen. Weten we wie het is?'

'Nee. Het signaal is te zwak om een stempatroonanalyse uit te voeren. En trouwens, zelfs als we dat wel konden, dan weet je toch dat vanwege de unieke plaats van hun strottenhoofd alle mannelijke dwergen zo'n beetje dezelfde stem hebben.'

'Daar zat ik net op te wachten,' gromde de commandant. 'Nog een dwerg aan de oppervlakte. Ik dacht dat dat wel was afgelopen nadat...' Hij pauzeerde, verdrietig door een plotselinge herinnering. De dwerg Turf Graafmans was een paar maanden geleden omgekomen, toen hij een tunnel uit het landgoed van Artemis Fowl groef. Turf was een enorme lastpost, maar hij had wel charisma.

'Wat weten we dan wel?'

Foaly las voor van een lijst op zijn scherm. 'Ons ongeïdentificeerd subject graaft zich een weg naar een kelder in Manhattan, waar hij Artemis Fowl junior ontmoet. Daarna gaan ze samen weg, dus er is echt iets aan de hand.'

'Wat dan precies?'

'Dat weten we niet. Fowl wist genoeg van onze technologieën om de microfoon en de zelfvernietiger uit te zetten, waarschijnlijk omdat Butler een heleboel apparatuur van de elfBI-Reddingsdienst heeft afgepakt tijdens de belegering van Huize Fowl.'

'En GPS? Wist Artemis genoeg om dat ook uit te schakelen?'

Foaly grinnikte zelfvoldaan. 'Dat kan niet worden uitgeschakeld. Op die oude helmen is nog een traceerlaag gespoten.'

'Wat een geluk voor ons. Waar zijn ze nu?'

'In Fowl's vliegtuig, op weg naar Ierland. Het is een Lear, het beste van het beste.' Foaly zag de laserblik van de commandant. 'Maar u bent waarschijnlijk niet geïnteresseerd in het vliegtuig, dus ik ga door.'

'Doe dat,' zei Root sarcastisch. 'Hebben we iemand boven de grond?'

Foaly activeerde een groot plasmascherm op de muur en zocht snel in de bestanden naar een wereldkaart. Er pulseerden in verschillende landen elfeniconen.

'We hebben drie Reddingsteams, maar niemand in het oude land.'

'Het zal ook niet,' gromde Root. 'Dat zou veel te handig zijn.' Hij pauzeerde. 'Waar is kapitein Short?'

'Bovengronds op vakantie. Ik wil u eraan herinneren dat ze geen actieve dienst meer mag draaien, hangende het tribunaal.'

Root wuifde met zijn vingers naar denkbeeldige regels. 'Dat is van ondergeschikt belang. Holly kent Fowl beter dan iedere andere elf. Waar is ze?'

Foaly keek in zijn computer, alsof hij het niet al wist. Alsof hij vanaf zijn werkplek niet tientallen keren per dag met Holly telefoneerde om te vragen of ze die vochtinbrengende hoefcrème had gekocht waar hij om had gevraagd.

'Ze is in het beautycentrum van Cominetto. Ik weet het niet, commandant. Holly is taai, maar Artemis Fowl heeft haar ontvoerd. Ze zou wel eens geen zuiver oordeel meer kunnen hebben.'

'Nee,' zei Root. 'Holly is een van mijn beste officieren, hoewel ze daar zelf niet van overtuigd is. Zorg dat ik dat beautycentrum aan de lijn krijg. Ze gaat terug naar Huize Fowl.'

Hoofdstuk 3: DE ZEVENDE DWERG

*Eiland Cominetto, voor de kust van Malta, Middellandse
Zee*

Het beautycentrum van Cominetto is de
meest exclusieve vakantiebestemming voor
de Mensen. Er moesten jarenlang verschillende verzoeken worden ingediend om een
visum te krijgen voor een bezoek, maar Foaly had met de
computer een beetje hocus-pocus uitgehaald om Holly in
een shuttle naar het beautycentrum te krijgen. Ze was
toe aan wat ontspanning na wat ze had doorgemaakt. En
wat ze nog steeds doormaakte. Want nu, in plaats van dat
ze een medaille kreeg omdat ze de helft van het losgeld-
fonds had gered, voerde Interne Zaken van elfBI een
onderzoek naar haar uit.

De afgelopen week was Holly gescrubd, had een laser-
peeling ondergaan, laxeermiddelen geslikt (praat me er
niet van) en was ze geëpileerd tot ze er bij neerviel, en

dat allemaal omwille van de ontspanning. Haar koffie-kleurige huid was glad en had geen vlekje meer en haar kort geknipte, kastanjebruine haar glansde van binnen-uit. Maar ze verveelde zich dood.

De lucht was blauw, de zee was groen en het leven ont-spannen. En Holly wist dat ze gek zou worden als ze nog een minuut langer zou worden verwend. Maar Foaly was zo blij geweest dat hij dit reisje had geregeld, dat ze hem niet durfde te vertellen dat ze er schoon genoeg van had.

Vandaag lag ze in een bubbelbad vol algenmodder om haar poriën te verjongen en speelde ze *Raad de Misdaad.* Dit was een spelletje waarbij je ervan uitging dat ieder-een die langskwam een crimineel was, en dan moest je raden wat ze hadden gedaan.

De algentherapeut liep in zijn witte pak naar haar toe met een telefoon op een transparant dienblad.

'Een telefoongesprek van Politie Plaza, zuster Short,' zei hij. Holly hoorde aan zijn toon wat hij dacht van tele-foongesprekken in deze oase van rust.

'Dank u, broeder Hummus,' zei ze, terwijl ze de hand-set greep. Foaly was aan de lijn.

'Slecht nieuws, Holly,' zei de centaur. 'Je hebt weer actieve dienst. Een speciale opdracht.'

'Echt waar?' zei Holly, terwijl ze haar vuist in de lucht

stak en probeerde teleurgesteld te klinken. 'Wat voor een opdracht?'

'Haal maar een paar keer diep adem,' adviseerde Foaly. 'En misschien een paar pilletjes.'

'Wat is er aan de hand, Foaly?' wilde Holly weten, hoewel ze het diep van binnen al wist.

'Het is...'

'Artemis Fowl,' zei Holly. 'Ik heb gelijk, hè?'

'Ja,' gaf Foaly toe. 'De Ierse jongen is terug. En hij heeft een team gevormd met een dwerg. We weten niet wat ze van plan zijn, dus dat moet jij gaan uitzoeken.'

Holly klom uit het modderbad en liet een spoor van groene algen achter op het witte tapijt.

'Ik kan me niet voorstellen wat ze van plan zijn,' zei ze, terwijl ze de kleedruimte in rende. 'Maar ik kan je twee dingen vertellen. We vinden het niet leuk en het is illegaal.'

* * *

De Fowl Learjet, boven de Atlantische Oceaan

Turf Graafmans lag in de Learjet te weken in het hightech bubbelbad. Hij absorbeerde liters water door zijn dorstige poriën, om zo al het gif uit zijn systeem te spoelen. Toen hij voldoende verfrist was, kwam hij in een grote badhanddoek gewikkeld uit de badkamer. Hij zag eruit als de lelijkste bruid ter wereld, met een sleep achter zich aan.

Artemis Fowl speelde met een kopje ijsthee terwijl hij op de dwerg wachtte. Butler bestuurde het vliegtuig.

Turf ging aan tafel zitten en goot een hele schaal nootjes in zijn keel, met dop en al.

'Zo, Modderjongen,' zei hij. 'Wat gaat er om in dat sluwe brein van jou?'

Artemis zette zijn vingertoppen als een torentje tegen elkaar en keek er met wijd uit elkaar staande, blauwe ogen langs. Er ging heel wat om in zijn sluwe brein, maar Turf Graafmans zou er maar een klein gedeelte van te horen krijgen. Artemis geloofde er niet in om alle details van zijn plannetjes met iemand te delen. Soms hing het succes van deze plannen af van het feit dat niemand precies wist wat hij deed. Niemand, behalve Artemis zelf.

Artemis zette zijn vriendelijkste gezicht op en leunde naar voren in zijn stoel.

'Zoals ik het zie, Turf,' zei hij. 'Ben je me al een gunst verschuldigd.'

'Echt waar, Modderjongen? Hoezo dat?' Artemis gaf

een klopje op de elfBI-helm die naast hem op tafel lag. 'Je hebt die ongetwijfeld op de zwarte markt gekocht. Het is een ouder model, maar het heeft nog steeds de standaard elfBI-stemgeactiveerde microfoon en de zelfvernietiger.'

Turf probeerde de nootjes door te slikken, maar hij had ineens een droge keel. 'Zelfvernietiger?'

'Ja. Er zitten genoeg explosieven in om gelei van je hoofd te maken. Er zou niets over blijven, alleen je tanden. Natuurlijk hoeft de zelfvernietiger helemaal niet te worden geactiveerd als de stemgestuurde microfoon de elfBI rechtstreeks naar je deur leidt. Ik heb die functies uitgeschakeld.'

Turf fronste zijn voorhoofd. Hij moest een hartig woordje spreken met de heler die hem de helm had verkocht.

'Oké. Bedankt. Maar je denkt toch niet dat ik geloof dat je me hebt gered omdat je zo'n goed hart hebt?' Artemis grinnikte. Hij kon niet verwachten dat iemand die hem kende, dat geloofde.

'Nee. We hebben een gezamenlijk doel. De Fei Feitiara.' Turf kruiste zijn armen voor zijn borst. 'Ik werk alleen. Ik heb je hulp niet nodig om de tiara te stelen.'

Artemis pakte een krant van de tafel en schoof hem naar

de dwerg. 'Te laat, Turf. Iemand is ons al voor geweest.'

Er stond een kop in hoofdletters: CHINESE TIARA GESTO-LEN UIT HET METROPOLITAN.

Turf fronste zijn voorhoofd. 'Ik ben een beetje in de war, Modderjongen. Was de tiara in het Metropolitan? Hij zou in het Fleursheim zijn.'

Artemis glimlachte. 'Nee hoor, Turf. De tiara is nooit in het Fleursheim geweest. Ik wilde alleen dat je dat dacht.'

'Hoe wist je van mij?'

'Eenvoudig,' antwoordde Artemis. 'Butler vertelde me over jouw unieke tunnelgraaftalent, dus toen ben ik recente berovingen gaan onderzoeken. Daar bleek een patroon in te zitten. Een reeks juwelendiefstallen in de staat New York. Bij iedere diefstal bleek men via de grond binnen te zijn gekomen. Het was heel eenvoudig je naar het Fleursheim te lokken door verkeerde informatie te plaatsen op Arty Facts, de website waar jij je gegevens vandaan haalt. Het is duidelijk dat je, met de speciale talenten die je in Huize Fowl hebt laten zien, van onschatbare waarde voor me zou zijn.'

'Maar nu heeft iemand anders de tiara gestolen.'

'Precies. En ik wil dat je hem terughaalt.'

Turf voelde dat zijn positie heel sterk was. 'En waarom zou ik hem willen terughalen? En zelfs als ik dat wilde, waar zou ik jou dan voor nodig hebben, mens?'

'Ik wil precies díe tiara, Turf. De blauwe diamant bovenin is uniek, qua kleur en kwaliteit. Hij gaat de basis vormen voor een laser die ik aan het ontwikkelen ben. De rest van de tiara mag jij houden. We zouden een fantastisch team zijn. Ik maak het plan, jij voert het uit. De rest van je verbanning zul je in weelde leven. Deze eerste opdracht is een test.'

'En als ik nee zeg?'

Artemis zuchtte. 'Dan post ik een bericht op internet dat je nog leeft en waar je bent. Ik weet zeker dat elfBI-commandant Root dat uiteindelijk te zien krijgt. Dan ben ik bang dat je nog maar kort in ballingschap leeft en wel zonder enige luxe.'

Turf sprong op. 'Dit is dus chantage?'

'Alleen als het niet anders kan. Ik geef de voorkeur aan "samenwerking".'

Turf voelde zijn maagzuur bruisen. Root dacht dat hij was omgekomen tijdens de bezetting van Huize Fowl. Als de elfBI erachter kwam dat hij leefde, zou de commandant het tot zijn persoonlijke missie maken om Turf achter de tralies te krijgen. Hij had niet veel keus.

'Oké, mens. Ik zal het doen. Maar geen partnerschap. Eén opdracht, dan ben ik weg. Ik voel er wel voor om een paar decennia op het rechte pad te blijven.'

'Heel goed. We hebben een deal. Denk eraan, als je ooit van gedachten verandert, er zijn heel veel zogenaamd "onvindbare" gewelven in de wereld.'

'Eén opdracht,' hield Turf vol. 'Ik ben een dwerg. We werken alleen.'

Artemis trok een vel papier uit een koker en spreidde het uit op tafel.

'Dat is niet helemaal waar,' zei hij, terwijl hij naar de eerste kolom op het papier wees. 'De tiara is gestolen door dwergen die al verscheidene jaren samenwerken. En wel zeer succesvol.'

Turf doorkruiste de kamer en las de naam die boven Artemis' vinger stond.

'Sergei de Superieure,' zei hij. 'Volgens mij heeft er iemand een minderwaardigheidscomplex.'

'Hij is de leider. Er zitten zes dwergen in Sergei's bende, ze staan samen bekend als de Superieuren,' ging Artemis door. 'Jij wordt de zevende.'

Turf giechelde hysterisch. 'Natuurlijk, waarom niet? De zeven dwergen. Deze dag is slecht begonnen, maar mijn baardhaar vertelt me dat hij nog heel wat slechter gaat worden.'

Voor de eerste keer zei Butler iets. 'Als ik jou was,

Turf,' zei hij met zijn diepe, knarsende stem, 'zou ik op je haar vertrouwen.'

Onmiddellijk nadat ze de algen van haar huid had gespoeld, stond Holly buiten het beautycentrum. Ze had een shuttle terug naar Haven kunnen nemen en daarna een aansluitende vlucht, maar Holly ging liever vliegen.

Foaly nam contact met haar op via de helmintercom op het moment dat ze over de mediterrane golven huppelde, terwijl ze haar vingers door het schuim liet gaan.

'Hé Holly, heb je die hoefcrème nog gehaald?'

Holly glimlachte. Het maakte niet uit hoe groot de crisis was, Foaly verloor zijn prioriteit nooit uit het oog: zichzelf. Ze liet de vleugelkleppen neer en steeg tot honderd meter hoogte.

'Ja hoor, die heb ik. Hij komt met een koerier naar beneden. Het was twee voor de prijs van een, dus je krijgt twee tubes.'

'Uitstekend. Je hebt geen idee hoe moeilijk het is om onder de grond een goede vochtinbrengende crème te vinden. Denk eraan, Holly, dit blijft tussen ons. De rest van de mannen is nog wat ouderwets wanneer het op cosmetica aankomt.'

'Het blijft ons geheimpje,' stelde Holly hem gerust.

'Nu, hebben we al een idee wat Artemis van plan is?'

Holly's wangen werden rood bij het noemen van de naam van de Modderjongen. Hij had haar ontvoerd, verdoofd en goud geëist. En alleen maar omdat hij op het laatste moment van gedachten was veranderd en had besloten haar te laten gaan, betekende niet dat alles was vergeven.

'We weten niet precies wat er aan de hand is,' gaf Foaly toe. 'We weten alleen dat ze iets in hun schild voeren.'

'Heb je videobeelden?'

'Nee. Alleen geluid. En zelfs dat niet meer. Fowl heeft de microfoon waarschijnlijk uitgeschakeld. We hebben alleen de traceerder nog.'

'Wat is de opdracht?'

'De commandant zegt dat je er dicht op moet zitten, een afluisterapparaatje moet plaatsen als dat kan, maar onder geen enkele omstandigheid contact mag maken. Dat is het werk van Redding.'

'Oké. Begrepen. Alleen bewaking, geen contact met de Modderjongen of de dwerg.'

Foaly opende een videovenster in Holly's vizier, zodat ze de scepsis op zijn gezicht kon zien. 'Je zegt het alsof het idee om een bevel te negeren nooit in je hoofd is opgekomen. Als ik het me goed herinner, en dat denk ik wel, is er al tien keer een aantekening gemaakt dat je je superieuren niet hebt gehoorzaamd.'

'Ik ben niet ongehoorzaam geweest' antwoordde Holly vinnig. 'Ik heb hun mening in beraad genomen. Soms kan alleen de officier ter plaatse de juiste beslissing nemen. Daar gaat het om bij een agent in het veld.'

Foaly haalde zijn schouders op. 'Ja hoor, kapitein. Maar als ik jou was, zou ik twee keer nadenken voordat je hierbij tegen Julius ingaat. Hij had die blik in zijn ogen. Je weet wat ik bedoel.'

Holly beëindigde de verbinding met Politie Plaza. Foaly hoefde het niet verder uit te leggen. Ze wist wat hij bedoelde.

Hoofdstuk 4: SHOWTIME

Het Circus Maximus, Wexford racebaan, Zuid-Ierland

 Artemis, Butler en Turf hadden plaatsen vlak bij de piste in het Circus Maximus. Dat was een nieuw soort circus waarin de acts net zo goed waren als in de advertenties werd beweerd en er geen dieren werden gebruikt. De clowns waren echt grappig, de acrobaten waren verbazingwekkend en de dwergen waren klein.

Sergei de Superieure en vier van zijn vijf teamleden zaten op een rij in het midden van de piste en vermaakten de volle zaal, voorafgaand aan de show. Iedere dwerg was nog geen meter lang en had een strak, karmozijnrood balletpakje aan met een plaatje van een bliksemflits erop. Hun gezicht was verborgen achter een bijpassend masker.

Turf was in een te grote regenjas gewikkeld. Hij droeg een puntmuts, diep over zijn voorhoofd getrokken en zijn gezicht was dik besmeerd met een prikkende, zelfgemaakte sunblock. Dwergen zijn extreem gevoelig voor licht en verbranden binnen een paar minuten, zelfs wanneer het bewolkt is.

Turf goot een mega-emmer popcorn in zijn geheel naar binnen.

'Ja,' mompelde hij, terwijl hij korrels uitspuugde. 'Deze jongens zijn echt dwergen, geen twijfel over mogelijk.'

Artemis glimlachte gespannen, blij dat zijn verdenkingen waren bevestigd. 'Ik heb hen per ongeluk ontdekt. Ze gebruiken dezelfde website als jij.'

'Mijn computeronderzoek onthulde twee patronen en het was eenvoudig om de verplaatsingen van het circus te koppelen aan een reeks misdaden. Ik ben verbaasd dat Interpol en de FBI niet al achter Sergei en zijn bende aan zitten. Toen de rondreis van de Fei Fei-tiara werd aangekondigd en deze met de circustournee bleek samen te vallen, wist ik dat het geen toeval was. Ik had natuurlijk gelijk. De dwergen hebben de tiara gestolen en hem daarna terug naar Ierland gesmokkeld, met het circus als dekmantel. Het is in feite veel eenvoudiger om de tiara van deze dwergen te stelen dan hem uit het Metropolitan te halen.'

'Waarom dan? vroeg Turf.

'Omdat ze het niet verwachten,' legde Artemis uit.

Sergei de Superieure en zijn troep bereidden zich voor op hun eerste act. Die was eenvoudig en indrukwekkend. Er werd door een hijskraan een klein, onversierd houten kistje in het midden van de piste neergezet. Sergei liep, al buigend en zijn kleine spieren strekkend, naar het kistje. Hij tilde het deksel op en klom erin. Het cynische publiek wachtte op een trucje met een gordijn of een scherm waardoor de kleine man kon ontsnappen, maar er gebeurde niets. Het kistje stond er maar. Onbeweeglijk. Alle ogen in de tent boorden zich in de buitenkant van het kistje. Niemand kwam op minder dan zeven meter afstand.

Er ging ruim een minuut voorbij voordat een tweede dwerg de piste in kwam. Hij zette een ouderwetse T-vormige detonator op de grond en drukte, na vijf seconden tromgeroffel, de cilinder naar beneden. Het kistje ontplofte in een dramatische wolk roet en balsahout. Sergei was dood, of verdwenen.

'Pff,' gromde Turf onder het donderende applaus. 'Dat stelt ook niet veel voor.'

'Niet wanneer je weet hoe hij het doet,' stemde Artemis in.

'Hij kruipt in het kistje, graaft een tunnel naar de kleedkamer en duikt waarschijnlijk later weer op.'

'Juist. Aan het eind van de voorstelling zetten ze een ander kistje neer, en zie en huiver: Sergei verschijnt weer. Het is een wonder.'

'Wat je maar een wonder noemt. We hebben zoveel talent en dit is het beste wat die sukkels konden bedenken.'

Artemis stond op. Onmiddellijk ging Butler achter hem staan om een mogelijke aanval van achteren tegen te houden. 'Kom, meneer Graafmans, we moeten een plan maken voor vanavond.'

Turf slikte de laatste popcorn door. 'Vanavond? Wat is er vanavond?'

'De avondvoorstelling,' antwoordde Artemis met een grijns. 'En jij, mijn vriend, bent de ster van de avond.'

Huize Fowl, Dublin, Ierland

Vanaf Wexford was het een twee uur durende rit terug naar Huize Fowl. Artemis' moeder wachtte op hen bij de voordeur.

'En hoe was het circus, Arty?' vroeg ze, glimlachend naar haar jongen, ondanks de pijn in haar ogen. Die pijn was nooit ver weg, zelfs niet nadat de elf Holly Short haar had genezen van haar depressie na de verdwijning van haar echtgenoot, Artemis' vader.

'Het was leuk, moeder. Fantastisch zelfs. Ik heb meneer Graafmans te eten gevraagd. Hij is een van de artiesten en een fascinerende vent. Ik hoop dat je het niet erg vindt.'

'Natuurlijk niet. Meneer Graafmans, doe alsof u thuis bent.'

'Dat zou niet de eerste keer zijn,' mompelde Butler binnensmonds. Hij begeleidde Turf door de keuken terwijl Artemis achterbleef om met zijn moeder te praten.

'Hoe gaat het echt met je, Arty?'

Artemis wist niet wat hij daarop moest antwoorden. Wat moest hij zeggen? Ik ben vastbesloten in mijn vaders criminele voetsporen te treden, want dat kan ik het beste.

Dat is de enige manier om genoeg geld te verdienen om de talloze privé-detectives en internet-opsporingsbedrijven die ik heb ingehuurd om hem te vinden, te betalen. Maar misdaad maakt me niet gelukkig. De overwinning smaakt nooit zo zoet als ik had verwacht.

'Het gaat echt goed met me, moeder,' zei hij uiteindelijk zonder overtuiging.

Angeline omhelsde hem. Artemis rook haar parfum en voelde haar warmte.

'Je bent een goede jongen,' zuchtte ze. 'Een goede zoon.'

De elegante dame ging weer rechtop staan. 'Nu, waarom ga je niet eens met je nieuwe vriend kletsen. Jullie hebben vast een heleboel te bespreken.'

'Ja moeder,' zei Artemis, terwijl zijn vastbeslotenheid de droefheid in zijn hart overwon. 'We hebben nog een heleboel te bespreken voor de voorstelling van vanavond.'

Het Circus Maximus

Turf Graafmans had net een gat gemaakt onder de tent van de dwergen en wachtte tot hij in actie kon komen. Ze waren teruggegaan naar Wexford voor de avondvoorstelling. Vroeg genoeg zodat hij vanaf een naastgelegen veld een gang onder de tent kon graven. Artemis hield binnen in de grote tent een oogje op Sergei de Superieure en zijn team. Butler wachtte bij het ontmoetingspunt op Turf's terugkeer.

Artemis' plan had in Huize Fowl nog overtuigend geleken. Het had zelfs waarschijnlijk geleken dat ze er mee weg konden komen. Maar nu, terwijl de circusvibraties op zijn hoofd beukten, zag Turf een klein probleem. Het probleem was dat hij zijn leven op het spel zetten, terwijl de Modderjongen lekker bij de piste een suikerspin zat te eten.

Artemis had zijn plan uitgelegd in de salon van Huize Fowl.

'Ik heb Sergei en zijn troep in de gaten gehouden sinds ik hun plannetjes had ontdekt. Het is een uitgekookt groepje. Misschien zou het makkelijker zijn om de edelsteen te stelen van degene aan wie ze de steen verkopen, maar de schoolvakantie is al bijna voorbij en dan moet ik mijn werkzaamheden opschorten, dus ik moet de blauwe diamant nu te pakken krijgen.'

'Voor je laserding?'

Artemis kuchte in zijn hand. 'Laser. Ja, inderdaad.'

'En daarvoor heb je deze diamant nodig?'

'Absoluut. De blauwe Fei Fei-diamant is uniek. Er is er maar een met zulke heldere kleuren.'

'En dat is zeker heel belangrijk?'

'Onmisbaar voor de buiging van het licht. Dat is iets technisch. Dat begrijp je toch niet.'

'Hmm,' bromde Turf, die vermoedde dat er iets werd achtergehouden. 'Hoe stel je voor dat we die onmisbare blauwe diamant te pakken krijgen?'

Artemis trok een diascherm naar beneden. Er zat een

plattegrond van het Circus Maximus op geplakt.

'Hier is de circuspiste,' zei hij, terwijl hij hem met een telescopische aanwijsstok aanwees.

'Wat? Dat ronde ding, met het woord piste erin? Dat meen je niet.'

Artemis sloot zijn ogen en haalde diep adem. Hij was niet gewend aan onderbrekingen. Butler tikte Turf op zijn schouder.

'Luister, kleine man,' adviseerde hij met zijn ernstigste stem. 'Of ik zou me wel eens kunnen herinneren dat ik je nog een smadelijke afranseling schuldig ben, net zoals degene die je mij hebt gegeven.'

Turf slikte. 'Luisteren, oké, goed idee. Ga door, Modderjongen... eh, Artemis.'

'Dank je,' zei Artemis. 'Welnu. We observeren de dwergentroep al maanden en in al die tijd hebben ze die tent niet een keer onbewaakt achtergelaten, dus we mogen aannemen dat ze daar hun buit verstoppen. Over het algemeen is de hele groep er, behalve tijdens het optreden, wanneer vijf van de zes acrobatische toeren uithalen. Onze enige gelegenheid is tijdens die periode wanneer alle dwergen, op een na, in de piste zijn.'

'Op een na?' wilde Turf weten. 'Ik mag door niemand worden gezien. Als ze ook maar een glimp van me opvangen, blijven ze me tot in de eeuwigheid achtervolgen. Dwergen vergeven niet zo gauw.'

'Laat me even uitpraten,' zei Artemis. 'Ik heb hier echt wel over nagedacht hoor. Butler heeft op een avond in Brussel een potloodcamera door het tentdoek heen gestoken en zo hebben we video-opnamen verkregen.'

Butler deed de flatscreentelevisie aan en drukte op PLAY op de afstandsbediening van de videorecorder. Er verscheen een grijs, korrelig, maar heel goed herkenbaar beeld. Er was een dwerg te zien in een ronde tent, die in een lederen leunstoel zat. Hij had het balletpakje van de Superieuren aan, het masker op en blies kleine belletjes door een pijpje.

De vloer van zand begon licht te vibreren in het centrum van de tent waar de grond er omgewoeld uitzag, alsof precies die plek werd getroffen door een kleine aardbeving. Een paar seconden later stortte een cirkel van aarde met een diameter van een meter helemaal in en kwam de gemaskerde Sergei uit het gat omhoog. Hij liet wat gas ontsnappen en stak zijn duim op naar zijn kameraad. De bellenblazende dwerg rende onmiddellijk de tent uit.

'Sergei heeft zojuist een tunnel uit zijn kistje gegraven en onze bellenblazende vriend is in de piste nodig,' legde

Artemis uit. 'Sergei neemt de bewaking over tot het eind van de act, wanneer alle andere dwergen terugkomen en Sergei in het nieuwe kistje verschijnt. We hebben ongeveer zeven minuten om de tiara te vinden.'

Turf besloot een paar gaten in het plan te schieten. 'Hoe weten we of de tiara daar überhaupt is?'

Artemis was voorbereid op die vraag. 'Omdat mijn bronnen me vertellen dat er vijf Europese juwelenhelers naar de show van vanavond komen. Ze komen waarschijnlijk niet om naar de clowns te kijken.'

Turf knikte langzaam. Hij wist waar de tiara zou zijn. Sergei en zijn superieure vrienden zouden alles een paar meter onder hun tent begraven, veilig buiten het bereik van mensen. Er bleven dus honderden vierkante meters over om te doorzoeken.

'Die kan ik nooit vinden,' sprak hij uiteindelijk uit. 'Niet in zeven minuten.'

Artemis opende zijn laptop. 'Dit is een computersimulatie. Jij bent het blauwe figuurtje. Sergei het rode.'

Op het scherm groeven twee computerwezens door gesimuleerde aarde.

Turf keek langer dan een minuut naar het blauwe figuurtje.

'Ik moet toegeven, Modderjongen,' zei de dwerg, 'dat

het slim is. Maar ik heb een tank met perslucht nodig.'

Artemis was verbaasd. 'Lucht? Ik dacht dat je onder de grond kon ademen.'

'Dat kan ik ook.' De dwerg grinnikte met een brede glimlach naar Artemis. 'Het is niet voor mij.'

Dus nu zat Turf in zijn ondergrondse gat met een duikersfles lucht op zijn rug gebonden. Hij zat op zijn hurken, volkomen stil. Zodra Sergei de aarde inging, zou zijn baardhaar gevoelig zijn voor de kleinste vibratie, waaronder radiogolven, dus had Artemis radiostilte bevolen tot ze in fase twee van het plan waren.

In het westen doorboorde een vibratie van hoge frequentie het omringende lawaai. Sergei voerde zijn truc uit. Turf voelde dat zijn dwergenbroeder door de aarde maaide, misschien wel naar de geheime bergplaats voor de gestolen juwelen.

Turf concentreerde zich op Sergeis voortgang. Hij groef een tunnel naar het oosten, maar met een neerwaartse hoek, en was duidelijk rechtstreeks op weg naar iets. De sonar in Turfs baardhaar voorzag hem van voortdurende updates over snelheid en richting. De tweede dwerg ging met een gestage snelheid en helling honderd meter door en stopte toen plotseling. Hij controleerde iets. Hij hoopte dat het de tiara was.

Na een halve minuut minimale beweging begaf Sergei zich naar de oppervlakte, bijna rechtstreeks naar Turf. Turf voelde dat een laagje zweet zijn rug bedekte. Dit was het gevaarlijke gedeelte. Hij reikte langzaam in zijn balletpakje en trok er een balletje uit met de omvang en kleur van een sinaasappel. Het balletje was een organisch slaapmiddel dat door Chileense inlanders werd gebruikt. Artemis had Turf verzekerd dat het geen bijwerkingen had en zelfs alle problemen die Sergei met zijn holtes zou kunnen hebben, zou oplossen.

Uiterst zorgvuldig plaatste Turf zich zo dicht bij Sergei's baan als hij durfde en wurmde zijn vuist met het verdovende balletje in de aarde. Een paar seconden later hapten Sergei's malende kaken het balletje, samen met een paar kilo aarde, op. Voordat hij nog vijf happen meer had genomen, hield zijn voorwaartse beweging ineens op en werd zijn gekauw trager. Nu werd het gevaarlijk voor Sergei. Als hij bewusteloos bleef liggen met zijn keel vol klei kon hij stikken. Turf at door de dunne laag aarde die hen scheidde heen, draaide de slapende dwerg op zijn rug en duwde een buis diep in de zwarte diepten van zijn spelonkachtige mond. Toen de buis op zijn plaats zat, draaide hij het mondstuk van de fles open en stuurde een aanhoudende stroom lucht door Sergei's lichaam. De luchtstroom deed de interne organen van de kleine dwerg opzwellen en spoelde zo alle sporen van klei uit zijn lichaam. Zijn lichaam schudde alsof het was verbonden met een elektriciteitsdraad, maar hij werd niet wakker. In plaats daarvan snurkte hij door.

Turf liet Sergei opgekruld in de aarde liggen en richtte zijn smakkende kaken naar de oppervlakte. Het was typisch Ierse klei, zacht en vochtig, niet erg vervuild en wemelend van de insecten. Een paar seconden later voelde hij dat zijn zoekende vingers door de oppervlakte braken en dat zachte lucht zijn vingertoppen streelde. Turf zorgde ervoor dat het circusmasker de bovenste helft van zijn gezicht bedekte en duwde daarna zijn hoofd boven de grond.

Er zat een andere dwerg in de leunstoel. Vandaag speelde hij met vier jojo's. Aan iedere hand en voet één. Turf zei niets, hoewel hij er ineens naar verlangde met een mededwerg te praten. Hij stak eenvoudigweg zijn duim op.

De tweede dwerg rolde in stilte zijn jojo's op, trok een paar nauwsluitende laarzen met puntneuzen aan en rende naar de tentflap. Turf hoorde het plotselinge gebrul van de menigte toen Sergei's kistje ontplofte. Twee minuten voorbij. Nog vijf minuten over.

Turf stak zijn achterste omhoog en zette koers naar de precieze plek waar Sergei was gestopt. Dat was niet zo moeilijk als het leek. De interne kompassen van een dwerg waren een geweldig instrument en kunnen elfen leiden met dezelfde accuratesse als een GPS-systeem. Turf dook.

Onder de tent was er een kleine kamer uitgegraven. Het was een typische dwergenschuilplaats, met muren die met spuug glad waren gemaakt en in de duisternis zwak licht gaven. Dwergenspuug is een multifunctioneel afscheidingsproduct. Naast het normale gebruik wordt het na langer contact met lucht hard en vormt het een laklaag die niet alleen sterk is, maar ook een beetje licht geeft.

In het midden van het kamertje stond een houten kist. Hij was niet op slot. Waarom ook? Er kwam hier niemand, behalve dwergen. Turf voelde een steek van schaamte. Het was één ding om van het Moddervolk te stelen, maar hij jatte van dwergenbroeders die hun brood probeerden te verdienen door van mensen te stelen. Zo laag was hij nog nooit gezonken. Turf besloot dat hij Sergei de Superieure en zijn team op een of andere manier schadeloos zou stellen zodra zijn taak erop zat.

De tiara lag in de kist en de blauwe steen bovenin knipoogde in het licht van het speeksel. Dat was nog eens een juweel. Daar was niets neps aan. Turf stopte hem in zijn balletpakje. Er zaten nog genoeg andere juwelen in de kist, maar die negeerde hij. Het was al erg genoeg dat hij de tiara meenam. Nu hoefde hij alleen Sergei nog maar naar de oppervlakte te hijsen, waar hij veilig kon herstellen, en dan moest hij vertrekken op dezelfde manier als hij was gekomen. Hij zou weg zijn voordat de andere dwergen zouden beseffen dat er iets mis was.

Turf ging terug naar Sergei, greep zijn slappe lijf vast en at zich een weg naar de oppervlakte, terwijl hij zijn slapende dwergbroeder achter zich aan sleepte. Hij scharnierde zijn kaak vast en klom uit het gat.

De tent was nog steeds verlaten. De Superieuren zouden nu wel over de helft van hun act zijn. Turf sleepte Sergei naar de rand van het gat en haalde een dwergendolk van vuursteen uit zijn laars. Hij zou een paar stukjes uit de stoel snijden en Sergei's handen, voeten en kaken vastbinden. Artemis had hem verzekerd dat Sergei niet wakker zou worden, maar wat wist de Modderjongen nou van het binnenste van een dwerg?

'Het spijt me, broeder,' fluisterde hij bijna teder. 'Ik vind het vreselijk om dit te doen, maar de Modderjongen heeft me in zijn macht.'

Vanuit zijn ooghoek zag Turf iets glinsteren. Het glinsterde en begon toen te praten.

'Eerst wil ik dat je me over de Modderjongen vertelt, dwerg,' zei het. 'En dan over de macht die hij heeft.'

HOOFDSTUK 5: MEESTER VAN HET SPEL

Boven de Italiaanse kust

 Holly Short vloog naar het noorden tot ze het vasteland van Italië had bereikt en wendde zich toen veertig graden naar links, boven de lichtjes van Brindisi.

'Je moet de grote vliegroutes en stedelijke gebieden vermijden,' herinnerde Foaly haar door de helmspeakers. 'Dat is de eerste regel van Opsporing.'

'De eerste regel van Opsporing is: de schurkachtige elf vinden,' wierp Holly tegen. 'Wil je nou dat ik die dwerg vind of niet? Als ik langs de kustlijn blijf vliegen, duurt het de hele nacht om Ierland te bereiken. Op mijn manier ben ik er om elf uur vanavond, plaatselijke tijd. En trouwens, mijn schild staat aan.'

Elfen kunnen hun hartslag verhogen en hun slagaders tot barstens toe oppompen, waardoor hun lichaam zo snel trilt dat ze nooit lang genoeg op een plaats zijn om gezien te worden. De enige mens die ooit door deze magische truc heen heeft gekeken, sorry voor het woordgrapje, was natuurlijk Artemis Fowl, die elfen had gefilmd met een hogesnelheidscamera en daarna de afzonderlijke beeldjes stuk voor stuk had bekeken.

'Een schild is niet zo veilig als vroeger,' merkte Foaly op. 'Ik heb het traceerpatroon van de helm naar jouw helm gestuurd. Je hoeft alleen maar de piep te volgen. Wanneer je je dwerg hebt gevonden, wil de commandant dat je…'

De stem van de centaur stierf weg in een vloeibare, sissende ruis. De magmastoten onder de aardkorst kwamen vanavond naar boven en verstoorden de elfBI-communicatie. Dit was de derde stoot sinds ze aan haar reis was begonnen. Het enige wat ze kon doen was doorgaan volgens het plan en hopen dat de kanalen weer open zouden gaan.

Het was een heldere nacht, dus Holly navigeerde met behulp van de sterren. Natuurlijk had haar helm een ingebouwde GPS-eenheid, verbonden met drie satellieten, maar stellaire navigatie was een van de eerste vakken op de elfBI-academie. Een Opsporingsofficier kon zonder hulpmiddelen boven de grond komen vast komen te zitten en onder die omstandigheden zouden de sterren de enige hoop voor de functionaris zijn om een shuttlehaven te vinden.

Het landschap schoot onder haar door, gespikkeld door een steeds groter wordend aantal menselijke enclaves. Iedere keer dat ze zich weer boven waagde, waren het er meer. Over niet al te lange tijd zou er geen platteland meer zijn en geen bomen om zuurstof te maken. Dan zou iedereen boven en onder de grond kunstmatige lucht ademen.

Holly probeerde het waarschuwingsteken voor vervuiling, dat in haar vizier opflitste, te negeren. De helm zou het meeste eruit filteren en ze had toch geen keus. Ze moest over de steden vliegen, of ze zou de schurkachtige dwerg misschien niet meer kunnen achterhalen. En kapitein Holly Short hield niet van verliezen.

Ze vergrootte het zoekraster in het vizier van haar helm en zoomde in op een grote, ronde, gestreepte tent. Een circus. De dwerg verborg zich in een circus. Niet echt origineel, maar wel een effectieve plek om je als menselijke dwerg voor te doen.

Holly liet de kleppen op haar mechanische vleugels neer en daalde tot zeven meter hoogte. Het gepiep van de traceerder leidde haar naar links, weg van de grote tent zelf, naar een kleinere die ernaast stond. Holly dook nog verder naar beneden en zorgde ervoor dat ze haar schild goed ophield, want het wemelde hier van de mensen.

Ze fladderde boven het topje van de tentpaal. De gestolen helm was binnen, geen twijfel over mogelijk. Voor verder onderzoek zou ze het bouwwerk binnen moeten gaan. De elfenbijbel, ofte wel het Boek, verbood elfen om onuitgenodigd naar binnen te gaan waar mensen woonden, maar onlangs had het hooggerechtshof besloten dat tenten een tijdelijke structuur vormden en als zodanig niet onder het verbod van het Boek vielen. Holly verbrandde de naden van de tent met een laserstoot uit haar Neutrino 2000 en glipte naar binnen.

Op het oppervlak van zand onder haar bevonden zich twee dwergen. De ene had de gestolen helm op zijn rug gebonden, de tweede werd in een gat in de grond geduwd. Ze droegen allebei een masker over de bovenkant van hun gezicht en een bijpassend rood balletpakje. Heel aantrekkelijk.

Dit was een verrassende ontwikkeling. Over het algemeen werkten dwergen samen, maar deze twee leken niet in hetzelfde team te zitten. Het leek erop alsof de eerste de tweede had uitgeschakeld en misschien nog wel verder zou gaan. Hij had een glinsterende dolk van vuursteen in zijn hand. En dwergen trokken meestal alleen hun wapen als ze het ook wilden gebruiken.

Holly zette de schakelaar van de microfoon in haar handschoen om. 'Foaly? Hoor je me, Foaly? Ik heb een mogelijk noodgeval hier.'

Niets. Alleen maar ruis. Zelfs geen spookstemmen. Typerend. Het meest geavanceerde communicatiesysteem in deze melkweg, en misschien nog een paar andere, en het was volslagen onbruikbaar vanwege een paar magmastoten.

'Ik moet contact gaan maken, Foaly. Als je dit kunt opnemen: er is hier een misdaad gaande, misschien moord. Er zijn twee elfen bij betrokken. Er is geen tijd om op Redding te wachten. Ik ga erheen. Stuur onmiddellijk een Reddingsteam.'

Holly's gezonde verstand protesteerde. Formeel gesproken was ze al uit de actieve dienst gezet, dus als ze contact zou leggen, zou haar carrière bij Opsporing zeker voorbij zijn. Maar uiteindelijk maakte dat niet uit. Ze was bij de elfBI gegaan om het Volk te beschermen, en dat was precies wat ze ging doen.

Ze zette haar vleugels op 'dalen' en zweefde naar beneden, uit de schaduwen van de tent.

De dwerg was aan het praten, met die vreemde, knarsende stem die alle mannelijke dwergen hebben.

'Het spijt me, broeder,' zei hij, misschien wel om zijn excuses te maken voor het dreigende geweld. 'Ik vind het vreselijk om dit te doen, maar de Modderjongen heeft me in zijn macht.'

Genoeg, dacht Holly. Ik wil hier vandaag geen moord hebben. Ze zette haar schild uit en werd weer zichtbaar, in een elfenvormige schittering. 'Eerst wil ik dat je me over de Modderjongen vertelt, dwerg,' zei ze. 'En dan over de macht die hij heeft.'

Turf Graafmans herkende Holly direct. Ze hadden elkaar pas een paar maanden daarvoor in Huize Fowl ontmoet. Grappig hoe sommige mensen elkaar steeds weer tegenkwamen. En deel uitmaakten van iemand anders' leven.

Hij liet zowel de dolk als Sergei vallen en hield zijn lege handen omhoog. Sergei gleed weer terug in het gat.

'Ik weet waar dit op lijkt, Ho-officier. Ik wilde hem alleen maar vastbinden, voor zijn eigen bestwil. Hij had tunnelstuipen, dat is alles. Hij zou zich kunnen bezeren.'

Turf feliciteerde zichzelf in stilte. Het was een goede leugen en hij had op zijn tong gebeten voordat hij Holly's naam had uitgesproken. De elfBI dacht dat hij in een grot was gestorven en ze zou hem niet herkennen met het masker op. Holly kon alleen zijde en baard zien.

'Tunnelstuipen? Dwergenkinderen krijgen tunnelstuipen, ervaren gravers niet.'

Turf haalde zijn schouders op. 'Ik zeg het hem zo vaak. Kauw je eten. Maar luisteren, ho maar. Het is een volwassen dwerg, wat moet ik dan doen? Ik kan hem hier trouwens niet laten liggen.' De dwerg zette een voet in de tunnel.

Holly landde. 'Geen stap verder, dwerg,' waarschuwde ze. 'Vertel me eerst maar eens over die Modderjongen.'

Turf probeerde een onschuldige glimlach. Een witte haai had meer kans gehad om daarmee weg te komen. 'Wat voor Modderjongen, officier?'

'Artemis Fowl,' bitste Holly. 'Begin maar met praten. Je gaat de gevangenis in, dwerg. Hoe lang hangt helemaal van jezelf af.'

Turf dacht er een ogenblik over na. Hij voelde de Fei Fei-tiara onder zijn balletpakje in zijn huid prikken. Hij was naar de zijkant geschoven, onder zijn oksel, heel oncomfortabel. Hij moest een keuze maken. Proberen zijn opdracht uit te voeren of aan zichzelf denken. Fowl of een lagere straf. Het kostte hem minder dan een seconde om te beslissen.

'Artemis wil dat ik de Fei Fei-tiara voor hem steel.

Mijn… eh… circusmaatjes hadden hem al meegenomen en hij heeft me omgekocht om hem aan hem te geven.'

'Waar is die tiara?'

Turf reikte in zijn balletpakje.

'Rustig aan, dwerg.'

'Oké. Twee vingers.'

Turf haalde de tiara onder zijn oksel vandaan.

'Je neemt zeker geen steekpenningen aan?'

'Inderdaad. Deze tiara gaat terug naar een plek dicht bij waar hij vandaan kwam. De politie krijgt een anonieme tip en die vindt hem dan in een wip.'

Turf zuchtte. 'Dat oude gewip. Wordt de elfBI dat nou niet eens moe?'

Holly wilde niet verwikkeld raken in een gesprek.

'Gooi hem op de grond,' beval ze. 'En ga dan zelf ook liggen. Ga op je rug liggen.'

Je gaf een dwerg niet het bevel om op zijn buik op de grond te gaan liggen. Een keer de kaken op elkaar klappen en de misdadiger zou er in een wolk van stof vandoor zijn.

'Op mijn rug? Dat is heel oncomfortabel met deze helm.'

'Op je rug!'

Turf gehoorzaamde, liet de tiara vallen en schoof de helm naar zijn voorkant. De dwerg dacht snel na.

Hoeveel tijd was er al voorbij? De Superieuren zouden elk ogenblik terug kunnen komen. Ze zouden komen aanrennen om Sergei te bevrijden.

'Officier, u moet hier echt weg.'

Holly fouilleerde hem op wapens. Ze deed de elfBI-helm af en rolde hem over de vloer.

'En waarom dan wel?'

'Mijn teamgenoten kunnen hier elk ogenblik zijn. We hebben een strak schema.'

Holly glimlachte grimmig. 'Maak je daar maar geen zorgen over. Dwergen kan ik wel aan. Mijn geweer heeft een nucleaire accu.'

Turf slikte en gluurde tussen Holly's benen door naar de tentflappen. De Superieuren waren precies op tijd en er slopen er drie door de tentflap heen, terwijl ze minder geluid maakten dan mieren op slippers. Iedere dwerg had een vuurstenen dolk in zijn stompe vingers.

Turf hoorde geruis boven zijn hoofd en keek omhoog waar hij nog een Superieur zag, die door een nieuwe scheur in de zoom van de tent tuurde. Er miste er nog een.

'De accu is niet belangrijk,' zei Turf. 'Het gaat er niet om hoeveel kogels je hebt, het gaat erom hoe snel je kunt schieten.'

Artemis genoot niet van het circus. Butler had al meer dan een minuut geleden contact met hem moeten opnemen om te bevestigen dat Turf bij het ontmoetingspunt was aangekomen. Er moest iets mis zijn. Zijn instinct zei hem dat hij moest gaan kijken, maar hij negeerde het. Houd vast aan het plan. Geef Turf iedere seconde die mogelijk is.

De laatste paar seconden waren een paar ogenblikken later op, toen de vijf dwergen in de piste bogen. Ze verlieten de piste met allerlei ingewikkelde buitelingen en gingen naar hun eigen tent.

Artemis tilde zijn pols op tot voor zijn mond. In zijn handpalm was een minuscule microfoon vastgemaakt, van het soort dat de Amerikaanse geheime dienst gebruikt. In zijn rechteroor zat een huidkleurig ontvangertje.

'Butler,' zei hij zachtjes, want de microfoon was fluistergevoelig. 'De Superieuren zijn net weggegaan. We moeten overgaan op plan B.'

'Begrepen,' zei Butlers stem in zijn oor. Natuurlijk was er een plan B. Plan A was dan misschien perfect, maar de dwerg die het moest uitvoeren was dat bepaald niet. Plan B hield chaos en ontsnapping in, hopelijk met de Fei Feitiara. Artemis haastte zich langs zijn rij, terwijl het tweede kistje in het midden van de piste werd neergelaten. Overal om hem heen verbaasden de kinderen en hun ouders zich over het melodrama dat zich voor hen ontvouwde, terwijl ze zich niet bewust waren van het echte drama dat zich buiten, nog geen twintig meter verderop, afspeelde.

Artemis bleef in de schaduw terwijl hij de tent van de dwergen naderde.

De Superieuren draafden in een groepje voor hem uit. Over een paar seconden zouden ze de tent ingaan en ontdekken dat de dingen daar niet zo waren als ze zouden moeten zijn. Er zou vertraging en verwarring optreden, waardoor de juwelenkopers in de grote circustent waarschijnlijk zouden komen aanrennen, samen met hun bewapende beveiliging. Deze missie zou in de komende paar seconden ofwel worden voltooid, of worden afgebroken.

Artemis hoorde stemmen in de tent. De Superieuren hoorden het ook en bleven staan. Er zouden geen stemmen moeten zijn. Sergei was alleen en als hij dat niet was, was er iets mis. Een dwerg kroop op zijn buik naar de flap en gluurde naar binnen. Wat hij zag bracht hem duidelijk van slag, omdat hij snel terug naar de groep kroop en als een razende instructies begon uit te delen. Drie dwergen gingen door de voorflap, eentje klom op de wand van de tent en de andere opende zijn bilflap en ging ondergronds.

Artemis wachtte een paar hartslagen en sloop daarna naar de tentflap. Als Turf nog steeds binnen was, moest hij iets doen om hem naar buiten te krijgen, zelfs als dat betekende dat de diamant moest worden opgeofferd. Hij drukte zijn lichaam tegen het strak gespannen canvas en loerde naar binnen. Hij was verrast door wat hij zag. Verrast, maar niet verbaasd: hij had het eigenlijk wel kunnen verwachten. Holly Short stond over een gevallen dwerg heen die Turf Graafmans kon zijn. De Superieuren sloten haar in, met getrokken dolk.

Artemis hief de radio omhoog naar zijn mond.

'Butler, hoe ver weg ben je precies?'

Butler antwoordde onmiddellijk. 'Ik ben op het circusterrein. Veertig seconden, niet meer.'

Over veertig seconden waren Holly en Turf dood. Dat kon hij niet laten gebeuren.

'Ik moet naar binnen,' zei hij kortaf. 'Zodra je er bent, pas plan B dan waar nodig aan.'

Butler verloor geen tijd met tegenspreken. 'Begrepen. Houd ze aan de praat, Artemis. Beloof hun alles ter wereld, en alles van onder de wereld. Hun hebzucht zal je in leven houden.'

'Oké,' zei Artemis en hij stapte de tent binnen.

'Wie hebben we daar?' zei Derph, de plaatsvervanger van Sergei. 'Het ziet ernaar uit dat de wet ons eindelijk heeft gevonden.'

Holly zette een voet op Turf's borst om hem op de grond vast te houden. Ze richtte haar wapen op Derph.

'Dat klopt, ik zit bij Opsporing. Het Reddingsteam is er over een paar seconden. Aanvaard het maar en ga op jullie rug liggen.'

Derph gooide losjes zijn dolk van de ene hand in de andere. 'Dat denk ik niet, elf. We leven dit leven al vijfhonderd jaar en we zijn niet van plan daar nu mee op te houden. Laat Sergei gaan en we zijn weg. Dan hoeft er niemand gewond te raken.'

Turf besefte dat de andere dwergen dachten dat hij Sergei was. Misschien was er toch nog een manier om te ontsnappen.

'Blijf waar je bent,' beval Holly met meer bravoure dan ze voelde. 'Het is pistolen tegen messen, jullie kunnen niet winnen.'

Derph glimlachte door zijn baard. 'We hebben al gewonnen,' zei hij.

Met het soort eendracht dat voortvloeit uit eeuwen teamwerk vielen de dwergen tegelijk aan. Eentje liet zich uit de schaduwen boven in de tent vallen, terwijl een andere door de grond heen brak, mond wijd open, waarbij tunnelwind hem meer dan een meter de lucht in blies. De trilling van Holly's stem had hem naar haar toe geleid, zoals een haai naar de worstelende bewegingen van een zwemmer wordt geleid.

'Kijk uit!' gilde Turf, die niet wilde dat de Superieuren met Holly zouden afrekenen, zelfs als hem dat zijn vrijheid zou kosten. Hij was dan wel een dief, maar hij besefte dat hij niet nog dieper wilde zinken.

Holly keek op en vuurde een schot af dat de afdalende dwerg verraste, maar ze had geen tijd om naar beneden te kijken. De tweede aanvaller klemde zijn vingers om haar pistool, rukte haar hand er bijna af en sloeg daarna zijn sterke armen om Holly's schouders, waarbij hij de lucht uit haar lichaam perste. De anderen kwamen dichterbij.

Turf sprong op.

'Wacht, broeders. We moeten die elf ondervragen, erachter komen wat de elfBI weet.'

Delph was het er niet mee eens. 'Nee Sergei. We doen wat we altijd doen. We begraven de getuige en gaan weg. Niemand kan ons onder de grond te pakken krijgen. We pakken de juwelen en we gaan.

Turf stompte de in een berenomhelzing verwikkelde dwerg onder zijn arm, op de plek waar bij dwergen een zenuwknoop zit. Hij liet Holly los en ze viel naar adem snakkend op de grond.

'Nee,' blafte hij. 'Ik ben hier de leider! Dit is een elfBI-officier. Als we haar doden, gaan ze met duizenden naar ons op zoek. We binden haar vast en vertrekken.'

Derph verstijfde plotseling en wees met het puntje van zijn dolk naar Turf. 'Je bent veranderd, Sergei. Al dat gepraat over elfen sparen. Laat je eens zien zonder masker.'

Turf deed een stap naar achteren. 'Wat zeg je nou? Je kunt mijn gezicht later zien.'

'Het masker! Nu! Of ik zie je interne organen tegelijk met je gezicht.'

Plotseling bevond Artemis zich in de tent en hij beende over de vloer alsof hij de eigenaar was.

'Wat is hier aan de hand?' wilde hij weten, met een uitgesproken Duits accent.

Iedereen draaide zijn gezicht naar hem toe. Hij was onweerstaanbaar.

'Wie ben jij?' vroeg Derph.

Artemis snoof. 'Wie ben ik? vraagt die kleine man. Heb je mijn meester uit Berlijn niet hier uitgenodigd? Mijn naam is niet belangrijk. Je hoeft alleen maar te weten dat ik de Herr Ehrich Stern vertegenwoordig.'

'H–H–Herr Stern, natuurlijk,' stamelde Derph. Ehrich Stern was een legende op het gebied van waardevolle stenen en hoe zich er op illegale wijze van te ontdoen. Hij ontdeed zich ook van mensen die hem teleurstelden. Hij was uitgenodigd voor de veiling van de tiara en zat op de derde rij, zoals Artemis heel goed wist.

'We zijn hier gekomen om zaken te doen en in plaats van een professionele instelling treffen we hier een soort dwergenvete aan.'

'Dit is geen vete,' zei Turf, die nog steeds Sergei speelde. 'Alleen een kleine woordenwisseling. We moeten beslissen hoe we ons gaan ontdoen van een onwelkome gast.'

Artemis snoof opnieuw. 'Er is maar een manier om je van onwelkome gasten te ontdoen. Als speciale dienst zullen wij dat voor jullie opknappen, tegen een korting op de tiara, natuurlijk.' Hij pauzeerde ongelovig en sperde zijn ogen open. 'Zeg me dat dit niet de tiara is,' zei hij, terwijl hij de tiara van de grond oppakte, waar Holly hem had laten vallen. 'Hij ligt in het vuil alsof het een zootje stenen is. Dit is echt een circus.'

'Hé, rustig aan,' zei Turf.

'En wat is dit?' wilde Artemis weten, terwijl hij naar Turf's helm in het vuil wees.

'Dat weet ik niet,' zei Derph. 'Het is een elfBI-... Ik

bedoel de helm van de indringer. Het is haar helm.'

Artemis bewoog zijn vinger heen en weer. 'Dat denk ik niet, tenzij je kleine indringer twee hoofden heeft. Ze draagt al een helm.'

Derph telde een en een bij elkaar op. 'Hé, dat klopt. Waar komt die helm dan vandaan?'

Artemis haalde zijn schouders op. 'Ik ben net aangekomen, maar ik denk dat jullie een verrader in jullie midden hebben.'

De dwergen keerden zich als een man tegen Turf.

'Het masker!' gromde Derph. 'Doe het af! Nu!'

Turf wierp Artemis door de ooggaten in het masker een blik toe. 'Bedankt hè.'

De dwergen kwamen in een halve cirkel dichterbij met getrokken mes.

Artemis stapte voor de groep. 'Stop, kleine mannen,' zei hij dwingend. 'Er is maar een manier om deze operatie te redden en dat is bepaald niet door de grond met bloed te doordrenken. Laat deze twee maar over aan mijn lijfwacht, dan beginnen we met de onderhandelingen.'

Derph vertrouwde het zaakje niet. 'Wacht eens even. Hoe weten we dat je bij Stern hoort? Je walst hier precies op tijd naar binnen om deze twee te redden. Als je het mij vraagt, is dat wat al te toevallig.'

'Daarom vraagt niemand het je,' antwoordde Artemis vinnig. 'Omdat je een sukkel bent.'

Derphs dolk glinsterde gevaarlijk. 'Ik heb het gehad met jou, jongen. Laten we ons van alle getuigen ontdoen en doorgaan.'

'Oké,' zei Artemis. 'Deze schertsvertoning begint me de keel uit te hangen.' Hij hief zijn handpalm omhoog naar zijn mond. 'Tijd voor plan B.'

Buiten de tent wikkelde Butler de scheerlijn van de tent om zijn pols en trok. Hij was enorm sterk en al snel begonnen de metalen haringen uit de modder te glijden. Het canvas kraakte en rimpelde overal. De dwergen staarden naar het deinende canvas.

'De hemel valt naar beneden,' schreeuwde een uitzonderlijk domme dwerg.

Holly maakte gebruik van de plotselinge verwarring en greep een flash-banggranaat die aan haar riem hing. Ze had nog maar een paar seconden voordat de dwergen hun verlies zouden nemen en onder de grond zouden verdwijnen. Als dat gebeurde was het afgelopen. Niemand kreeg een dwerg onder de grond te pakken. Tegen de tijd dat Redding was aangekomen, zouden de dwergen al kilometers ver weg zijn.

De granaat was een stroboscoop die flitslicht met

zo'n hoge frequentie uitzond dat er te veel boodschappen tegelijkertijd naar de hersens van degenen die keken werden gestuurd, waardoor ze er even mee stopten. Dwergen waren uitzonderlijk gevoelig voor dit soort wapens, omdat ze sowieso al niet goed tegen licht konden.

Artemis zag de zilverkleurige ronde vorm in Holly's hand.

'Butler,' zei hij in zijn microfoon. 'We moeten hier weg! Nu meteen. Noordoostelijke hoek.'

Hij greep Turf bij zijn kraag en sleepte hem mee. Boven zijn hoofd daalde het canvas neer, vertraagd door de opgesloten lucht.

'We gaan,' schreeuwde Derph. 'We gaan nu. Laat alles achter en graaf.'

'Jullie gaan nergens naar toe,' bracht Holly hijgend uit, terwijl haar adem langs haar gekneusde luchtpijp raspte. Ze draaide aan de timer en rolde de granaat tussen de Superieuren. Het was een perfect wapen tegen dwergen. Glanzend. Dwergen kunnen iets glanzends niet weerstaan. Zelfs Turf keek naar de glitterende bol en zou zijn blijven kijken tot aan de flits, als Butler geen snee van anderhalve meter in het canvas had gemaakt en hen allebei door de opening naar buiten had getrokken.

'Plan B,' gromde hij. 'De volgende keer besteden we meer aandacht aan een backup-strategie.'

'Beschuldigingen komen later wel,' zei Artemis kortaf. 'Als Holly hier is, dan is de ondersteuning niet ver weg. Er moet een soort traceerder op de helm hebben gezeten, die hij niet had opgemerkt. Misschien in de voering. 'Dit is het nieuwe plan. De elfBI komt eraan, dus we moeten ons nu splitsen. Ik schrijf een cheque uit voor jouw aandeel in de tiara. Een punt acht miljoen euro, een eerlijke zwartemarktprijs.'

'Een cheque? Je maakt zeker een grapje,' wierp Turf tegen. 'Ik weet toch helemaal niet of ik je kan vertrouwen, Modderjongen?'

'Geloof me,' zei Artemis. 'Over het algemeen ben ik ook niet te vertrouwen. Maar we hebben een deal gemaakt en ik bedrieg mijn partners niet. Je kunt natuurlijk ook wachten tot de elfBI er is en ze zien dat je op mysterieuze wijze bent hersteld van de normaal gesproken dodelijke aandoening: overlijden.'

Turf greep de aangeboden cheque. 'Als ik hem niet kan innen, kom ik naar Huize Fowl. Je weet dat ik binnen kan komen.' Hij zag Butlers boze blik. 'Hoewel ik natuurlijk niet hoop dat ik dat moet doen.'

'Dat hoeft ook niet. Vertrouw me maar.'

Turf knoopte zijn bilflap los. 'Dat lijkt me ook beter.' Hij knipoogde naar Butler. En weg was hij, onder de grond in een wolk van stof, voordat de lijfwacht kon antwoorden. Dat was eigenlijk maar beter ook.

Artemis sloot zijn vuist om de blauwe diamant boven in de tiara. Hij zat al los. Hij hoefde alleen nog maar te vertrekken. Eenvoudig. Laat de elfBI zijn eigen rotzooi maar opruimen. Maar zelfs voordat hij Holly's stem had gehoord, wist Artemis dat het niet zo eenvoudig was. Dat was het nooit.

'Niet bewegen, Artemis!' zei de elfenkapitein. 'Ik zal niet aarzelen om je neer te schieten. Ik kijk er zelfs naar uit.'

Holly activeerde net voordat de flash-banggranaat ontplofte het Polaroidfilter op haar vizier. Het was moeilijk om je genoeg te concentreren om zelfs die eenvoudige handeling te verrichten. Het canvas flapperde, de dwergen knoopten hun bilflappen open en vanuit haar ooghoek zag ze dat Fowl door een scheur in de tent verdween.

Hij zou niet nog een keer ontsnappen. Deze keer zou ze een bevel tot geheugenwissing krijgen en het elfenvolk voorgoed uit het geheugen van de jongen wissen. Ze sloot haar ogen, voor het geval er stroboscooplicht door haar vizier zou lekken en wachtte op de knal. Toen de flits kwam, lichtte de tent op alsof hij een lampenkap was. Een paar zwakke naden brandden door en er schoten stralen wit licht naar de hemel alsof het zoeklichten waren. Toen ze haar ogen opende, lagen de dwergen bewusteloos op de vloer van de tent. Een ervan was de ongelukkige Sergei, die net op tijd uit zijn tunnel was gekropen om bewusteloos te raken. Holly zocht haar riem af naar een slaap-zoekinjectienaald. De naald bevatte kleine traceerbolletjes die waren gevuld met een opgeladen verdovingsmiddel. Wanneer de bolletjes in de bloedstroom van een elf werden geïnjecteerd, kon die elf overal ter wereld worden teruggevonden en naar believen worden uitgeschakeld. Hierdoor werd het opsporen van schurkachtige elfen een stuk eenvoudiger. Holly worstelde zich snel door de lappen canvas, spoot alle dwergen ermee in en kroop naar de flappen. Nu konden Sergei en zijn bende te allen tijde worden aangehouden. Zo kon ze Artemis Fowl achtervolgen.

De tent hing nu rond haar oren, omhooggehouden door luchtzakken. Ze moest snel naar buiten, anders zou de tent helemaal over haar heen instorten. Holly activeerde de mechanische vleugels op haar rug, creëerde

haar eigen kleine windtunnel en fladderde door de flap heen, terwijl haar laarzen over de grond schraapten.

Fowl ging er samen met Butler vandoor.

'Sta stil, Artemis!' brulde ze. 'Ik zal niet aarzelen om je neer te schieten. Ik kijk er zelfs naar uit.'

Dit was stoere taal, vol bravoure en zelfvertrouwen uitgesproken, hoewel ze zich niet zo voelde. Maar het klonk in ieder geval of ze klaar was voor een gevecht.

Artemis draaide zich langzaam om. 'Kapitein Short. Je ziet er niet zo goed uit. Misschien moet je even door een arts worden nagekeken.'

Holly wist dat ze er afschuwelijk uitzag. Ze voelde dat haar gekneusde ribben door elfentoverkracht werden geheeld en ze zag nog steeds schokkerig door een overdosis van de flash-bang.

'Het gaat goed met me hoor, Fowl. En zelfs als dat niet zo was, dan kan de computer in mijn helm dit pistool uit zichzelf afschieten.'

Butler deed een stap opzij, om het doel op te splitsen. Hij wist dat Holly hem als eerste zou moeten neerschieten.

'Doe geen moeite, Butler,' zei Holly. 'Ik kan jou neerleggen en de Modderjongen in mijn eigen tijd achtervolgen.'

Artemis siste. 'Tijd heb je nou juist niet. De circustroepen komen er al aan. Over een paar seconden zijn ze hier, gevolgd door het circuspubliek. Vijfhonderd mensen die zich allemaal afvragen wat hier aan de hand is.'

'En wat dan nog? Dan staat mijn schild aan.'

'Dan kun je me dus niet aanhouden. En zelfs als je dat wel zou kunnen, dan betwijfel ik of ik een elfenwet heb overtreden. Ik heb alleen maar een tiara van de mensen gestolen. De elfBI bemoeit zich toch niet met misdaden bij de mensen? Ik ben niet verantwoordelijk voor elfencriminelen.'

Holly had moeite om haar schiethand onbeweeglijk te houden. Artemis had gelijk, hij had niets gedaan wat het Volk bedreigde. En de kreten van de circusmensen werden luider.

'Dus je ziet Holly, het enige wat je kunt doen is me laten gaan.'

'En die andere dwerg dan?'

'Welke dwerg?' vroeg Artemis onschuldig.

'De zevende dwerg. Het waren er zeven.'

Artemis telde op zijn vingers. 'Volgens mij waren het er zes. Het waren er maar zes. Misschien door alle opwinding…'

Holly fronste achter haar masker. Ze moest toch iets van dit alles kunnen redden.

'Geef me die tiara. En de helm.'

Artemis rolde de helm over de grond. 'De helm, 'tuurlijk. Maar de tiara is van mij.'

'Geef hem aan mij,' brulde Holly, met autoriteit in iedere lettergreep. 'Geef hem aan mij, of ik verdoof jullie allebei en dan vechten jullie het maar uit met Ehrich Stern.'

Artemis glimlachte bijna. 'Gefeliciteerd Holly. Dat is een meesterlijke zet.' Hij pakte de tiara uit zijn zak en gooide hem naar de elfBI-officier.

'Nu kun je gaan melden dat je een bende juwelen stelende dwergen hebt opgerold en de gestolen tiara hebt teruggevonden. Dat is een veer op je hoed, zou ik zo denken.'

Er kwamen mensen aan. Hun roffelende voeten deden de aarde trillen.

Holly zette haar vleugels op fladderen.

'We komen elkaar nog wel eens tegen, Artemis Fowl,' zei ze, terwijl ze de lucht inging.

'Dat weet ik,' antwoordde Artemis. 'Ik kijk ernaar uit.'

Dat was waar. Hij keek er echt naar uit.

Artemis zag hoe zijn wraakgodin langzaam de nachtelijke hemel in vloog. En op het moment dat de menigte de hoek om kwam, trilde ze het zichtbare spectrum uit. Er bleef alleen een elf-vormige wolk sterren over.

Holly maakt de dingen interessant, dacht hij, terwijl hij zijn vuist om de steen in zijn zak sloot. Ik vraag me af of ze de verwisseling ziet. Zal ze de blauwe diamant goed bekijken en zien dat hij er een beetje olieachtig uitzag?

Butler tikte hem op zijn schouder.

'Tijd om te gaan,' zei de reusachtige bediende.

Artemis knikte. Butler had gelijk, zoals gebruikelijk. Hij vond het bijna zielig voor Sergei en de Superieuren. Ze dachten dat ze veilig waren, totdat de Reddingbrigade kwam om hen mee te nemen.

Butler nam zijn pupil bij de schouder en leidde hem naar de schaduwen. Binnen twee stappen waren ze onzichtbaar. Het vinden van duisternis was een van Butlers talenten.

Artemis keek nog een laatste keer naar de hemel. Waar is kapitein Short nu? vroeg hij zich af. Ze zou altijd in zijn gedachten zijn, over zijn schouder kijken, wachten tot hij een foutje maakte.

EPİLOOG

Huize Fowl

 ANGELINE Fowl zat in elkaar gezakt aan haar kaptafel, terwijl de tranen zich in haar ooghoeken verzamelden. Vandaag was het de verjaardag van haar man. De vader van kleine Arty, al meer dan een jaar vermist. Iedere dag werd het onwaarschijnlijker dat hij nog zou terugkomen. Elke dag was moeilijk, maar deze dag was bijna ondraaglijk. Ze aaide met een slanke vinger over de foto op het dressoir. Artemis senior, met zijn sterke tanden en blauwe ogen. Zo ongelooflijk blauw, ze had die kleur daarvoor of daarna nooit meer gezien, behalve in de ogen van haar zoon. Het was het eerste geweest dat haar aan hem was opgevallen.

Artemis kwam aarzelend de kamer binnen. Eén voet over de drempel.

'Arty, lieveling,' zei Angeline, terwijl ze haar ogen droogde. 'Kom hier. Geef me een knuffel, daar heb ik behoefte aan.'

Artemis liep over het hoogpolige tapijt en herinnerde zich de vele keren dat hij zijn vader in de erker had zien staan.

'Ik zal hem vinden,' fluisterde hij toen hij in zijn moeders armen stond.

'Ik weet het,' antwoordde Angeline, bevreesd door wat haar zoon daar allemaal voor zou doen. Bang om nog een Artemis te verliezen.

Artemis trok zich terug. 'Ik heb een cadeau voor je, moeder. Iets ter herinnering en om je kracht te geven.'

Hij haalde een gouden ketting uit zijn borstzak. In de v hing een ongelooflijk blauwe diamant. Angelines adem stokte in haar keel. 'Arty, dat is griezelig. Verbazingwekkend. Die steen heeft precies dezelfde kleur...'

'Als vaders ogen,' vulde Artemis aan, terwijl hij de sluiting om zijn moeders hals vastmaakte. 'Ik dacht wel dat je het mooi zou vinden.'

Angeline greep de steen vast in haar hand en de tranen vloeiden nu vrijelijk. 'Ik doe hem nooit meer af.'

Artemis glimlachte droevig. 'Geloof me, moeder, ik zal hem vinden.'

Angeline keek haar zoon vol bewondering aan. 'Ik weet het, Arty,' zei ze nogmaals. Maar deze keer geloofde ze het ook.

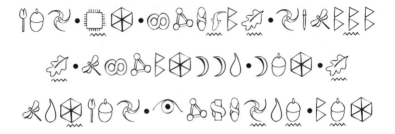